rowohlt
BERLIN

Horst Evers

VOM MENTALEN HER
QUASI
WELTMEISTER

Rowohlt · Berlin

1. Auflage April 2014
Copyright © 2014 by Rowohlt · Berlin Verlag GmbH, Berlin
Alle Rechte vorbehalten
Karten Peter Palm, Berlin
Satz aus der Documenta PostScript, InDesign,
bei Pinkuin Satz und Datentechnik, Berlin
Druck und Bindung CPI books GmbH, Leck
Printed in Germany
ISBN 978 3 87134 776 4

Für Alvaro, Marc, Rodrigo, Pedro, Katja,
Gianluca, Micha, Jürgen, Axel, John, Miro, Elena,
Slavko, Simone, Marie-Christin, Gabi, Bernd,
Anthony, Yussuf, Nadine, Kim-Ha Eun,
Agnetha, Klaus, Piotr, Sandy,
Franticek und Gerd

INHALT

GRUSSWORT

Eine Fußballweltmeisterschaft ist keine
UN-Vollversammlung
(Wer wüsste das besser als die Österreicher?)

Liebe Leserinnen und Leser,

eine Fußballweltmeisterschaft ist die Zeit, in der auch Menschen, die sich sonst gar nicht dafür interessieren, plötzlich Fußballspiele gucken. Und es ist die Zeit, in der die, die Fußball sowieso mögen, sogar Spiele von Mannschaften anschauen, die sie sonst nicht interessieren. Das Ganze macht noch viel mehr Spaß, wenn man informiert ist über die Nationen, die gegeneinander antreten. Was macht diese Völker aus? Wie leben die Menschen dort? Was für eine Mentalität haben die so? Welche Geschichte? Welche Eigenheiten? Was essen die zum Beispiel gerne? Und warum? Im Regelfall hat man ja nicht die Zeit, all dies in Erfahrung zu bringen. Daher habe ich hier für jedes Teilnehmerland mal das Wichtigste aufgeschrieben. Insbesondere auch das, was man eben nicht in der Vorberichterstattung erfährt. Alles natürlich streng subjektiv.

Da ich als vermutlich einziger Mensch auf der ganzen Welt das große Glück habe, alle Völker, Nationen und Mannschaften wirklich exakt gleich sympathisch zu finden, kann ich also auch ganz gerecht und ausgewogen von all ihren Stärken, Schwächen, Eigenheiten und Gebräuchen berichten und brauche dabei keinerlei Rücksicht auf irgendwelche Befindlichkeiten zu nehmen, wie es wahrscheinlich ein offizieller Repräsentant der UN tun müsste. Somit kann ich direkt und ohne Umschweife das Wesentliche zu jedem Volk schreiben. Das spart Zeit und erhöht erheblich den Unterhaltungsfaktor.

Womöglich wird manch einer nach der Lektüre dieses Buches zu dem Schluss kommen, dass er sogar sehr viel mehr erfahren hat, als für die Fußballweltmeisterschaft eigentlich nötig gewesen wäre. Zumal ich ja noch eine ganze Reihe von Ländern vorstelle, die dieses Mal bei der Weltmeisterschaft nicht dabei sein dürfen, obwohl sie doch auch ziemlich gut Fußball spielen (Tschechien), als Land einfach sehr wichtig sind (Türkei), extrem viel Geschichte haben (Ägypten, China) oder einfach nur liebenswert sind (Österreich). Hierzu möchte ich anmerken: Das Leben hört ja nach so einer Weltmeisterschaft nicht auf. Solch einschlägige Kenntnisse braucht man auch sonst immer mal wieder. Oft geht es in alltäglichen Gesprächen um ferne Länder oder andere Völker, und da ist es schon nicht schlecht, wenn man dazu kurz und prägnant was sagen kann.

Für all jene, die auch in Sachen Fußball noch die eine oder andere Information benötigen, habe ich am Ende drei Servicetexte angefügt. Der erste skizziert die Geschichte des Spiels von den Anfängen in China über die Entwicklung des modernen Fußballs in England und endet mit einem Ausblick, was nach Torlinientechnologie und Chip-im-Ball wohl noch so kommen könnte. Es folgt eine kurze Taktikschule, in der die wichtigsten Spielsysteme und Fachbegriffe wie «Falscher Neuner» oder «Gestreifter Vierer» erklärt werden. Und schließlich ein Text, in dem ich die Analysen der Experten analysiere.

In «Auch nicht qualifiziert» berichte ich noch von meiner eigenen Zeit als aktiver Fußballer. Doch genug von mir. Schauen wir lieber mal, was das eigentlich für Länder sind, die an dieser Weltmeisterschaft teilnehmen.

Viel Gutes wünscht Ihnen
Horst Evers

ALLGEMEINES

Der Engländer ist berühmt für seinen Kampf-geist. Weil er den ganzen Tag ununter-brochen kämpft beziehungsweise fightet, muss er natürlich auch viel transpirieren. Hierdurch entsteht der berühmte ganzjäh-rige Londoner Nebel.

Der Großteil der männlichen Englän-der sieht im Prinzip aus wie Wayne Rooney. Leider. Außer James Bond, der sieht aber auch nur so aus, wie er aussieht, weil er ausgedacht ist und alle paar Jahre der Schauspieler wechselt. Die englischen Frauen sehen im Schnitt natürlich sehr viel besser aus, wobei auch das umstritten ist. Wenn Engländer oder Engländerinnen in südlichen Ländern am Strand sind, haben sie furchtbaren Sonnenbrand. Weil Engländer immer alles toasten, auch sich selbst.

TAGESABLAUF

Der englische Mann steht jeden Morgen ganz früh auf, fünf Uhr oder so, weil um sechs muss der Nebel fertig sein. Spä-ter steht dann auch seine Frau auf und macht ihm erst mal ein leckeres pappiges Toastbrot mit bitterer Orangenmarmelade. Er bedankt sich dafür mit einem herzlichen «The toast tastes delicious, darling!», denn er ist ein extrem höflicher Mensch und würde niemals zugeben, dass er diese widerliche bittere Orangenmarmelade längst nicht mehr sehen kann. Dann kleidet er sich in feinstes englisches Tuch, nimmt seine Melone und den Regenschirm, geht aus dem Haus, was sein Castle is, und bildet eine Schlange an der Bushaltestelle, wo er auf einen roten Doppeldeckerbus wartet, der stets auf der falschen Straßenseite kommt. Der Engländer ist dabei immer sehr gelassen, summt Beatleslieder und macht trockene Witze. Der englische Humor gilt als der beste der Welt. So, wie der Engländer kocht, braucht er diesen Humor aber auch. Seine Gelassenheit rührt ebenfalls hierher, denn er sagt sich: «Alles ist besser, als schon wieder essen zu müssen.» Der Engländer hat immer als Erster die beste Musik, die angesagteste Mode und die innovativsten Fernsehserien. Sollte es ihm aber doch einmal langweilig werden, dann steigt er einfach in Doctor Whos alte Notrufzelle und reist in die Zukunft, wo er Daleks bekämpft, oder auch in seine reiche Vergangenheit mit den ordentlich durchnummerierten Königen und Königinnen, oder es verschlägt ihn gar zu Shakespeare, der ja aus diesen Geschichten immer gleich ein Drama gemacht hat.

TRADITION UND GESCHICHTE

Alle Engländer lieben ihr Königshaus. Queen Elizabeth II. arbeitet jeden Tag am härtesten von allen Engländern, deshalb muss sie auch am heftigsten schwitzen und schafft den meisten Nebel. Darum ist sie auch Königin.

Früher mal war der Engländer die Weltmacht überhaupt, und überall in der ganzen Welt gab es Menschen, die England sehr mochten, ja verehrten. Das lag aber daran, dass überall auf der ganzen Welt Engländer waren, die sich dann eben selbst mochten. Die Engländer brachten allen Kolonien wichtige Erfindungen: den Indern den Tee, den Australiern das Strafvollzugssystem und den Amerikanern den Unabhängigkeitskrieg.

Die Deutschen mag der Engländer nicht so und nennt sie Krauts, was ungerecht ist, weil die Deutschen gar nicht den ganzen Tag Sauerkraut essen. Anders als der Engländer, der den ganzen Tag Plumpudding isst. Aber im Gegensatz zum Deutschen pauschalisiert der Engländer eben gern und macht sich nicht so viele Gedanken über differenzierte Darstellungen.

Grundsätzlich gilt England als das Mutterland der modernen Demokratie. Vielleicht noch gemeinsam mit den USA. Leider haben diese beiden Staaten, wie Eltern generell, Schwierigkeiten loszulassen und installieren daher quasi weltweit bei allen jüngeren Demokratien so was wie Babyphone, um diese zu überwachen und vor Ungemach zu bewahren. Dabei sind sich eigentlich sämtliche Familienpsychologen einig, dass fortwährende Bemutterung und Kontrolle über die Pubertät hinaus letztlich alle Beteiligten ins Zwanghafte und Unfreie führt.

Engländer beim traditionellen täglichen Schwitzen. Sie machen das wirklich bis zum Umfallen.

FUSSBALL

Engländer können leider praktisch gar keine richtigen Tore schießen. Sie schießen die Bälle immer nur an die Latte und behaupten dann, es sei ein Tor gewesen. Die Engländer glauben zwar, den Fußball erfunden zu haben, aber eigentlich nur, um ihn dann an die Latte oder den Pfosten zu donnern. Speziell im Elfmeterschießen. Das einzig relevante Elfmeterschießen, das eine englische Mannschaft je gegen ein deutsches Team gewinnen konnte, war das sogenannte «Finale dahoam» zwischen Bayern München und Chelsea London. Man könnte von daher folgende Regel aufstellen:

Engländer gewinnen Elfmeterschießen nur, wenn bei ihnen ein Tscheche im Tor steht, einer von der Elfenbeinküste die Elfmeter schießt und ein Russe alles bezahlt. Außerdem ist es natürlich hilfreich, wenn es noch einen Holländer gibt, der für die gegnerische Mannschaft die Elfmeter schießt.

Jaja, so ist das mit dem Engländer.

ALLGEMEINES

Vielleicht ist Brasilien das in Deutschland beliebteste Land überhaupt, womöglich auch weltweit. Vor allem während Fußballweltmeisterschaften hat Brasilien Freunde allüberall. Viele Deutsche versuchen sogar während des Turniers, zu Brasilianern zu werden. Nicht nur die Fußballer, auch die Fans. Der einfachste Weg, ein gefühlt waschechter Brasilianer zu werden, ist, viel Caipirinha zu trinken. Spätestens nach dem dritten Caipirinha in praller Sonne spricht man zumindest schon mal so wie Ailton:

«Ailton nicht dick, Ailton schießt Tor, wenn Ailton Tor, dann dick egal.»

Ein Satz, der so quasi auch für mich gilt. Wer Weisheit suchte, konnte bei Ailton Honig saugen ohne Ende:

«Ailton gut, guter Tag, Ailton nicht gut, morgen neuer Tag.»

Daran sieht man auch: Wirklich große Philosophie braucht keine Verben.

Ein anderer, allerdings sehr viel mühsamerer Weg, Brasilianer zu werden, ist das Feiern, Trommeln und Tanzen. Also speziell das Tanzen kann einen echt fertigmachen. Samba, Bossa Nova und Lambada sind die bekanntesten brasilianischen Tänze. Vor allem der Lambada ist tückisch, weil er im Wesentlichen aus diesem extremen Hüftkreisen besteht. Das sind dann doch Bewegungen, die vielen Deutschen, insbesondere mir, von Natur aus eigentlich fremd sind, was man mir leider auch ohne große Sachkenntnis problemlos ansieht, wenn ich denn mal Lambada tanze. Dennoch lasse ich meine Hüften mit einer Entschlossenheit und Konsequenz kreisen, dass ich selbst manchmal Angst bekomme. Da dies viele Deutsche ähnlich handhaben, ja sogar bereit sind, noch weiter zu gehen in ihrem vor Lebensfreude überschäumenden Hüftkreisen, dürften die eigentlichen Gewinner dieser brasilianischen Weltmeisterschaft letzten Endes die Orthopäden und Hersteller von Hüftimplantaten hierzulande sein.

DER GASTGEBER

Seit Brasilien den Zuschlag als WM-Gastgeber bekommen hat, gibt es immer wieder Schlagzeilen in Europa, die würden das nicht hinkriegen. Alles sei eine einzige Katastrophe. Die Stadien, die Infrastruktur, nichts werde pünktlich fertig. Völlige Fehlplanung und Missmanagement da. Die Brasilianer könnten so was eben nicht, verglichen mit dem Organisationsweltmeister Deutschland.

Hierzu sei kurz angemerkt, dass Brasilien seine Hauptstadt Brasília in nur gut drei Jahren, von 1956 bis 1959, aus dem Nichts in den Urwald gebaut hat. Eine komplette 2,6-Millionen-Stadt, größer also als Hamburg, das nun seit sieben Jahren damit beschäftigt ist, eine Philharmonie

In einer kostspieligen Simulation haben wir den Baufortschritt eines durchschnittlichen brasilianischen WM-Stadions errechnen lassen, wenn es von den Planern des Flughafens Berlin-Brandenburg errichtet worden wäre. Dies wäre der voraussichtliche Fertigstellungsstand zur zweiten WM-Woche.

an die Elbe zu bauen. Drei Jahre braucht Berlin allein, um nach der geplatzten Eröffnung des Flughafens die Mängel zu zählen und einen neuen voraussichtlichen Eröffnungstermin bekanntzugeben. Und wie lange Stuttgart an seinem Bahnhof bauen wird, ist zurzeit noch geheimer als die Füllung hausgemachter schwäbischer Maultaschen.

Selbstverständlich gibt es aber auch echte, ernstzunehmende Probleme in Brasilien. Die Schere zwischen Arm und Reich klafft so weit auseinander wie in fast keinem anderen Land der Welt. Proteste und Demonstrationen vor und während der Weltmeisterschaft werden daher kaum ausbleiben, und das ist auch verständlich. Die Kriminalitätsrate nimmt zu, Korruption greift immer weiter um sich, überhaupt ist eine erstaunliche Skrupellosigkeit zu beobachten. Aber es gibt auch Hoffnung. In dem Moment, in dem die Führungsebene der Fifa das Land nach der Weltmeisterschaft wieder verlässt, werden sich zumindest schon mal Skrupellosigkeit und Korruption in Brasilien auf einen Schlag um die Hälfte reduzieren.

Mit Blick auf die beiden nächsten WM-Gastgeber, Russland und Katar, sei noch kurz angemerkt, dass Brasilien homosexuelle Aktivitäten bereits im Jahr 1823 entkriminalisiert hat. Als eines der ersten Länder weltweit.

WIRTSCHAFT

Die wichtigste Industrie in Brasilien neben dem Kaffee ist ohne Frage das Wetter. Mit seinem Regenwald macht der Brasilianer quasi das Wetter für die ganze Welt. Leider ist dieser Regenwald und damit auch das Wetter aber ständig gefährdet.

Eine Werbeaktion in Deutschland führte dazu, dass viele Menschen, gerade auch in meinem Bekanntenkreis, außerordentlich viel Bier getrunken haben. Nicht aber, wie sonst der guten, jahrhundertealten Tradition folgend, aus Durst oder schierer, schöner Unvernunft. Nein, sie tranken, weil die Brauerei versprochen hatte, dann für den Erhalt von mehr Regenwald zu sorgen und somit für besseres Wetter. Was meine Bekannten letztlich zu der steilen These verführte: «Wir trinken gegen die Klimakatastrophe an.» Eine doch zweifelhafte Behauptung, da heftiger Bierkonsum ja den Bierbauch wölbt und ein erheblicher Bierbauch in der alltäglichen Pflege auch nicht gerade klimaneutral ist.

DER BRASILIANER AN SICH

Eine gute Freundin lebt seit vielen Jahren mit einem Brasilianer zusammen. Der ist extrem korrekt, geradezu fanatisch pünktlich, einigermaßen unmusikalisch, und Fußball spielen kann er überhaupt nicht. Daran erkennt man: Der Brasilianer ist auch nicht mehr das, was er mal war. Oder: Der Brasilianer an sich ist sehr viel facettenreicher, als man so meint. Doch das gilt ja, vielleicht mit Ausnahme des Deutschen, letztlich für praktisch alle Völker und hilft uns hier nicht weiter. Da er aber außerdem ein sehr freundlicher Mensch ist, hat mir der brasilianische Mann meiner Freundin bereitwillig Auskunft darüber gegeben, wie der Brasilianer so in Wirklichkeit ist:

Der durchschnittliche Brasilianer schläft tendenziell gerne etwas länger. Dabei ist es ihm eigentlich ganz egal, um welche Uhrzeit er aufstehen muss. Hauptsache, er kann dann noch etwas länger schlafen. Nach dem Aufstehen schaut er schnell auf den Kalender, ob nicht gerade Neujahr ist, weil dann müsste er nach São Paulo laufen. Anschließend macht er sich einen schönen Topf Feijoada, also Reis mit schwarzen Bohnen und irgendeinem Fleisch drin. Sobald er satt ist, fährt er mit Barry Manilow zur Copacabana oder einen Strand weiter, um dem «Girl from Ipanema» nachzuschauen, das wunderschön ist, aber auch stolz. Es schaut nie zu ihm, sondern nur geradeaus. Zur Abkühlung setzt sich der Brasilianer dann in sein Boot und paddelt den Amazonas rauf, bis zu den letzten unentdeckten Völkern, die er aber auch nicht unnötig entdecken will, weshalb er, während er so paddelt, unentwegt von 10 auf 1 runterzählt und «Ich komme!» ruft, damit die letzten unentdeckten Völker sich vor ihm verstecken können. Eventuell schießen sie aber doch ein paar Giftpfeile auf ihn, nicht, um ihn zu verletzen, sondern weil dieses Gift womöglich der langgesuchte Wirkstoff ist, der vermeintlich unheilbare Krankheiten heilt oder zumindest ein endlich mal funktionierendes Mittel gegen Schnupfen oder Haarausfall ermöglicht. Wobei ich persönlich in puncto Haarausfall längst sagen würde: «Jetzt ist es auch egal.» In meiner Pubertät, da hättet ihr am Amazonas oder Orinoco mal bitte ein bisschen ernsthafter nach so einem Mittel suchen dürfen, das hätte mir vielleicht einiges erspart. Aber heute ist meine Frisur schon so lange selbstregulierend, dass plötzlicher Haarwuchs mich nur noch stressen würde.

Der Brasilianer hat immer gute Laune und lacht viel. Wenn er doch mal traurig ist, schaut er fünf bis sechs Telenovelas, die bei ihm rund um die Uhr im Fernsehen laufen und zuverlässig zeigen, dass selbst auf der größten und schönsten Hazienda auch nicht alle Tage Sonntag ist. Am Abend nascht er dann ein bisschen vom Zuckerhut, bevor er in der Happy Hour Cocktails zum halben Preis schlürft, seine Sambatrommeln schlägt und vom Karneval träumt, bei dem er sich endlich wieder in sein textilarmes Kostüm

mit den zwanzigtausend Pailletten und dem großen Kopf-
schmuck stürzen und zwei Wochen durchtanzen kann,
ohne müde zu werden. Dann allerdings schläft er natürlich
auch gern wieder mal ein bisschen länger.

FUSSBALL

Es heißt, Brasilianer würden schon mit dem Ball am Fuß
geboren, was das Leben für die brasilianischen Mütter, zumindest bei der Geburt, auch nicht gerade einfacher macht.

Die Brasilianer erwarten von ihrer Seleção («Auswahl») allerbesten amtlichen Zauberfußball und natürlich
immer den Weltmeistertitel. Selbst wenn es nur die Süd-
amerikameisterschaft ist, wollen die brasilianischen Fans
nichts weniger als den Weltmeistertitel. Jetzt, wo die WM
in Brasilien stattfindet, erwartet man wahrscheinlich sogar
zwei oder drei Weltmeistertitel für die Seleção. Nun, in
der Vorrunde wartet der Angstgegner Mexiko, im Achtelfinale wohl Spanien oder Holland und im Viertelfinale womöglich Italien oder Uruguay, das den Brasilianern bei der
ersten WM in Brasilien, 1950, ein Trauma bescherte, das sie
bis heute plagt. Was immer auch passiert, eines ist sicher:
Die brasilianischen Spieler werden sehr, sehr gute Nerven
brauchen.

AMERIKA

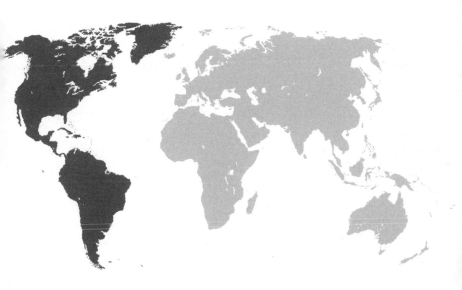

ARGENTINIEN

ALLGEMEINES

Der durchschnittliche Argentinier lebt auf einer Hazienda mitten in der Pampa. Die Pampa in Argentinien ist im Prinzip so etwas wie hier die Lüneburger Heide. Nur halt ohne Heidschnucken und ohne Lüneburg. Na ja, und ohne Heide eigentlich auch.

Oder besserer Vergleich: Die Pampa ist so etwas wie ein Einkaufszentrum auf der grünen Wiese am Sonntagvormittag. Nur ohne Einkaufszentrum. Und so richtig grün in dem Sinne wäre diese grüne Wiese dann eigentlich auch nicht. Oder anderer Vergleich: Die Pampa ist so etwas wie Wolfsburg, nur ohne VW und ohne Stadt. Mühelos könnte man noch viele andere Vergleiche finden, würde dadurch aber wohl über kurz oder lang in so eine Art geistige Pampa geraten.

TAGESABLAUF

Jeden Morgen steht der Argentinier erstaunlich zeitig auf, isst zum Frühstück ein riesiges Steak mit Kräuterbutter und Salat vom Buffet, der umsonst ist, wenn man ein Steak von mindestens zweihundertfünfzig Gramm nimmt, und macht sich dann an seine Arbeit als Gaucho. Ein Gaucho ist so etwas wie ein Cowboy, nur ohne Indianer. Dazu summt er natürlich ununterbrochen «Don't Cry for Me Argentina». Nach der Arbeit nimmt er ein schnelles Bad im Rio de la Plata, um frisch für den Abend zu sein, an dem wieder schön gegrillt wird, so Asado oder so, und Tango getanzt, yoho, oho, bis allen tun von Zeh zu Zeh die Füße weh, oh jé, olé!

Nach feuriger Nacht schließlich genießt der Argentinier zufrieden die Morgendämmerung, das unvergleichliche Licht auf Feuerland, und schaut bis zum Horizont, wo die arktischen Pinguine steppen oder lustige Bauchklatscher machen.

NATURELL

Eine mir gut bekannte Argentinierin beschwerte sich stets, dass die Deutschen einfach keinen Tango tanzen können. Diese chauvinistische Aussage revidierte sie dann allerdings, nachdem sie auch mal mit anderen Deutschen Tango getanzt hat, nicht nur mit mir. Tango, erklärte sie mir später, sei nicht nur ein Tanz, sondern vor allem pure Leidenschaft. Ein Kampf zwischen Mann und Frau um Dominanz, mit Blicken und Gesten. Demzufolge ist der abendliche Konflikt um die Fernbedienung wohl so etwas wie die deutsche Spielart des Tangos.

Argentinier sind extrem stolz. In den offiziellen Reiseempfehlungen für Touristen steht, man solle Argentinier auch heute, über dreißig Jahre nach dem Falklandkrieg, lieber nicht auf die Falklandinseln ansprechen, auch nicht auf Großbritannien. Die Namen der wirtschaftlich erfolgreicheren Nachbarländer Brasilien und Chile hört man in Argentinien ebenfalls nicht gern. Es sei denn, die argentinische Nationalmannschaft hat gerade gegen eines dieser beiden Länder gewonnen. Sollte die argentinische Nationalmannschaft gegen irgendeine Nation verloren haben, erwähnt man den Namen dieser Nation besser für rund achtzehn Monate nicht mehr. Noch besser allerdings wäre es, zu bestreiten, dass das Spiel überhaupt je stattgefunden hat.

WIRTSCHAFT UND GESELLSCHAFT

Früher hatte der Argentinier auch eine schöne Menge Regenwald. Den hat er allerdings zu großen Teilen abgeholzt, damit seine Steaks Platz zum Grasen haben. Heute bezieht er seine klimatischen Bedingungen daher auch vom Brasilianer, der mit seinem Regenwald ja der weltgrößte Exporteur für Klima und Wetter überhaupt ist (siehe «Brasilien»). Die Frage, ob ein Staat bankrottgehen kann, hat Argentinien 2001 recht eindrücklich mit «Ja» beantwortet. Wirtschaftlich geht es Argentinien also so, wie es einem eben in einer Insolvenzverwaltung geht. Genauer kann das wahrscheinlich Herr Zwegat erklären.

Viele Deutsche sagen, sie würden sich in Argentinien vermutlich unwohl fühlen, weil dort nach dem Zweiten Weltkrieg so viele Altnazis aufgenommen wurden und unbehelligt leben durften. Diese Deutschen kann ich beruhigen. Hier in Deutschland durften nach dem Zweiten Weltkrieg sehr viel mehr Altnazis unbehelligt leben als in Argentinien.

BERÜHMTE ARGENTINIER UND FUSSBALL

Der berühmteste Argentinier aller Zeiten ist natürlich Diego Armando Maradona. Maradonas Trick war es früher, alle immer denken zu lassen: «Ach, der ist viel zu klein und zu dick, der kann ja gar nicht richtig schnell laufen.» Und während noch alle dachten: «Guck mal, wie klein und dick der ist», hatte er schon, schwupp-schwupp-schwupp, den Ball ins Tor geschossen oder getanzt oder gezaubert, zum Beispiel mit der Hand Gottes. Mittlerweile ist der Papst ein Argentinier, wodurch nun also quasi die rechte und die linke Hand Gottes aus Argentinien kommen.

Der Fuß Gottes gehört aber wohl eher Lionel Messi. Pep Guardiola, sein ehemaliger Trainer, soll einmal gesagt haben, sein größtes Ziel sei es gewesen, Messi dazu zu bringen, einmal ein Buch zu lesen. Ob es ihm gelungen ist, weiß ich nicht. Jedenfalls habe ich daraufhin mit einigen Freunden überlegt, welches Buch hierfür am geeignetsten wäre. Nach langen Diskussionen einigten wir uns schließlich auf «Ulysses» von James Joyce. Vielleicht erleichtert es gerade den Zugang, wenn man gänzlich ohne konventionelle Lesegewohnheiten in diesen Roman geworfen wird. Außerdem ist der psychologische Effekt wahrscheinlich grandios, falls man anschließend doch noch mal ein zweites Buch liest. Egal um welches Buch es sich handelt, man

Diego Armando Maradona bei der Vorbereitung auf die WM 1986.

wird garantiert denken, extrem schnelle Fortschritte in Sachen Leseverständnis gemacht zu haben. Es sei denn, man wählt ausgerechnet «Finnegans Wake».

Alle Argentinier gehen eigentlich davon aus, dass ihre «Albiceleste» («Weiß-Himmelblauen») bei dieser Weltmeisterschaft den Titel holen. Falls doch nicht, wird man wohl davon ausgehen, dass das Turnier quasi in dem Sinne nie stattgefunden hat.

CHILE

ALLGEMEINES

Chile ist ein extrem langes und gleichzeitig sehr schmales Land am linken Rand Südamerikas. Es ist fast so lang wie China und genauso schmal wie Lettland. Und wenn man die Anfänge dieser Ländernamen zusammennimmt, also Chi-na und Le-ttland, dann erhält man ja auch Chile, was außer mir, glaube ich, noch nie jemandem aufgefallen ist. Tatsächlich wurde der Ländername aber wohl von «chilli» abgeleitet, einem Wort der Aymara, das so viel bedeutet wie «Das Ende der Welt».

Wie das gemeint ist, lässt sich wohl am ehesten ermessen, wenn man in Chile mit öffentlichen Bussen unterwegs ist. Ein Freund, der dort auf Reisen war, erzählte mir, es gebe in Chile zwar erstaunlich viele Busse, aber leider keine Fahrpläne oder feste Routen. Vielmehr stellt man sich dort einfach an eine Bushaltestelle und wartet, bis irgendwann ein Bus irgendwo hinfährt. Es empfiehlt sich daher dringend, bei Reisen mit öffentlichen Bussen in Chile das Ziel erst am Ende der Reise zu wählen. Sonst gibt es nur unnötige Enttäuschungen und Streit. Es bedarf also eines gewissen philosophischen Langmuts, um glücklich mit Bussen durch Chile zu reisen. Gut, da es dort ja im Großen und Ganzen

32

ohnehin nur zwei Richtungen gibt, wäre dies alles, laut meinem Freund, nicht einmal so problematisch – doch zudem hätten leider die Fahrer noch mal ganz eigene, alles in allem eher willkürliche Vorstellungen davon, wann sie an einer Bushaltestelle halten und wann nicht. Daher hat Chile jetzt, meines Wissens als einziges Land der Welt, ein Gesetz verabschiedet, das die Fahrer öffentlicher Busse unter Androhung empfindlicher Strafen dazu verpflichtet, an bestimmten Haltestellen *immer* zu halten und den einsteigenden Fahrgästen seriös Auskunft zu erteilen, in welche Richtung sie höchstwahrscheinlich weiterfahren.

TOPOGRAPHIE UND WIRTSCHAFT

Chile besteht praktisch nur aus Küste und Bergen, weshalb sich die berühmte Frage «Fahren wir in den Ferien jetzt ans Meer oder in die Berge?» in Chile so eigentlich nicht stellt. Man kann dort gar nicht in die Berge fahren, ohne nicht auch gleichzeitig Meerblick zu haben. Es sei denn, man dreht sich während des gesamten Urlaubs nicht ein einziges Mal um. Aber wer will das denn? Wenn man schon mal Urlaub hat, möchte man sich ja doch auch gern mal umdrehen.

Und der Chilene kann sich guten Gewissens umdrehen, er hat nichts zu verbergen. Chile ist das Land mit der geringsten Korruptionsrate in Mittel- und Südamerika. Wahrscheinlich eben, weil das Land viel zu schmal ist, um irgendwelche Hinterzimmer zu bauen.

Der Maler Egon Schiele hat nichts mit Chile zu tun. Die Auswahl eines der zahlreichen Bilder verwelkender Blumen des sympathischen Depressionisten an dieser Stelle ist genau genommen ein Missverständnis.

GESCHICHTE UND KULTUR

Die Hinterzimmer des Chilenen befinden sich dann doch eher in anderen Ländern. Als 1970 nach einer demokratischen Wahl der Sozialist Salvador Allende chilenischer Präsident wurde, sagte Henry Kissinger den legendären Satz: «Ich sehe nicht ein, weshalb wir zulassen sollen, dass ein Land marxistisch wird, nur weil die Bevölkerung unzurechnungsfähig ist.» Daraufhin wurde ein Militärputsch initiiert, der das Land in die fünfzehnjährige Dunkelheit der Pinochet-Diktatur stieß, mit Folter, Mord und nicht zu zählenden Menschenrechtsverletzungen. Mittlerweile jedoch ist Chile zur Demokratie zurückgekehrt.

Der wichtigste Exportartikel des Chilenen war zu jeder Zeit die Literatur. Viele Autoren von Weltrang kommen aus Chile: Pablo Neruda, Isabel Allende oder Roberto Bolaño, um nur die drei berühmtesten zu nennen.

SONSTIGES

Und dann gibt es ganz unten bei Chile natürlich noch das Kap Hoorn. Einen mir bekannten Segler, der tatsächlich mal ums Kap Hoorn herumgesegelt ist, habe ich vor langer Zeit gefragt, wie das denn so sei, also so ums Kap Hoorn herumzusegeln. Er schaute mich mit großen, schreckgeweiteten Augen an und sagte: «Jeder ...» – Pause – «Jeder ...» – Pause – «Jeder, der schon mal ums Kap Hoorn herumgesegelt ist, der ...» – Pause – «der ...» – Pause – «ja, der weiß, was es bedeutet, mal ums Kap Hoorn herumzusegeln.»

Nun gut, seitdem hab ich aufgehört, Seglern überhaupt noch irgendwelche Fragen zu stellen.

FUSSBALL

Den fußballerisch wirklich größten Erfolg der chilenischen Nationalmannschaft hat es bislang leider nicht gegeben. Oft waren sie aber dicht dran. Der Chilene gilt als spielstark und rustikal zugleich. So schmal, wie sein Land ist, versteht er es natürlich, sich auf engstem Raum zu behaupten. Er ist mit Spanien, Holland und Australien in einer Gruppe, und er wäre sicher gut beraten, wenn er den Achtelfinalbus frühzeitig gesetzlich verpflichten würde, bei sich zu halten.

COSTA RICA

ALLGEMEINES

Geologisch gesehen, ist Costa Rica so etwas wie das Nesthäkchen unter den WM-Teilnehmern. Es wurde erst vor fünfundsechzig bis hundert Millionen Jahren durch tektonische Verschiebungen geformt, ist also noch quasi feucht hinter den Ohren. Das merkt man auch dem Klima ein wenig an.

Mehr als ein Viertel des Landes steht unter Naturschutz. Überhaupt ist Costa Rica weltweit der Primus in Sachen Umweltschutz. Hier ist die Energiewende schon geschafft: Neunzig Prozent des Bedarfs werden durch erneuerbare Energien gedeckt, und bis 2021, zum zweihundertsten Geburtstag, will Costa Rica als erstes Land dieser Welt komplett klimaneutral sein. In Sachen Ökotourismus ist man ebenfalls ganz weit vorn. Viele Besucher, auch aus Europa, kommen nach Costa Rica, um dort einen rundum ökologischen Urlaub zu machen. Wobei ich persönlich es ja ein bisschen mühsam finde, über zwanzigtausend Kilometer (hin und zurück) fliegen zu müssen, um mal einen anständigen Ökourlaub machen zu können. Aber Gott, was tut man nicht alles für die Umwelt.

Costa Rica hat das große Glück, praktisch keinerlei Bodenschätze zu besitzen und auch geostrategisch unbedeutend
zu sein, weshalb es dem Land und der Bevölkerung für
lateinamerikanische Verhältnisse relativ gut geht. Es herr-
schen stabile politische und soziale Verhältnisse, und dass
Costa Rica für Energiekonzerne immer völlig uninteressant
war, hat die schnelle Umstellung auf erneuerbare Energien
wohl auch eher erleichtert.

Die bekannteste Costa Ricanerin ist die Chiquita-Bana-
ne. Obwohl es kaum größer als Niedersachsen ist, ist Costa
Rica der weltweit zweitgrößte Bananenexporteur.

Gemeinsam mit Ecuador ist Costa Rica übrigens laut
internationalem Glücksindex das glücklichste Land unter
den WM-Nationen.

DER COSTA RICANER AN SICH

Anfang der Neunziger habe ich ein halbes Jahr lang mit Rodrigo, einem Bassisten aus Costa Rica, zusammengewohnt.
Also eigentlich war seine Mutter aus Costa Rica und der Vater aus Paraguay, weshalb er sich mal als Costa Ricaner, mal
als Paraguayer begriff, je nach Laune. Oft hat er aber auch
aus beruflichen Gründen behauptet, er sei Kubaner. Wer
schon einmal mit einem Musiker zusammengewohnt hat,
weiß, dass das nicht unbedingt immer einfach ist. Speziell
Bassisten, so sagt man, haben ja ihren ganz eigenen Rhyth-
mus. Nicht nur musikalisch. Ich möchte es einmal so sagen:

Wenn Costa Rica auch nur annähernd so organisiert wäre wie Rodrigo, mein damaliger Mitbewohner, dann hätte das Land sicher sehr, sehr große Probleme.

Eines Abends wollte mich Rodrigo zu einem Konzert seiner Band Rosalie mit ins «Quasimodo» nehmen. Im «Quasimodo» jedoch mussten wir zu Rodrigos großer Überraschung erfahren, dass Rosalie gar nicht im «Quasimodo» spielen würde, sondern in irgendeinem anderen Club irgendwo in der Stadt. 1991 gab es noch keine Handys, auch kein Internet, Twitter oder Facebook, ja es gab noch nicht einmal Hedgefonds oder Latte macchiato.

Dennoch wurde Rodrigo nicht im allergeringsten hektisch, und er wirkte auch nicht gestresst. Im Gegenteil. Mit der ganzen, eines Bassisten würdigen Entspanntheit und einem tiefempfundenen, aufrichtigen Desinteresse an allem, was wir anderen gemeinhin als Welt, Leben oder Mitmenschen bezeichnen, setzte er sich an den Tresen und bestellte einen Filterkaffee. Diesen trank er in aller Seelenruhe und mit einem Gesicht, das allen Außenstehenden klarmachte, zur Not würde er hier einfach so lange weiter Filterkaffee trinken, bis endlich der Latte macchiato erfunden sein würde.

Rund eine Stunde später erschien plötzlich die Freundin des Bandleaders, um Rodrigo abzuholen. Sie erklärte mir, Rodrigo weigere sich aus unerfindlichen Gründen, sich die Auftrittsorte zu merken oder auch nur aufzuschreiben. Stattdessen fahre er dann immer ins «Quasimodo», in der Hoffnung, dort sei der Auftritt. Sei dies nicht der Fall, setze er sich halt an den Tresen und würde warten, bis ihn irgendjemand abhole.

Als ich Rodrigo zwei Tage später fragte, warum er sich eigentlich nicht gleich von zu Hause abholen ließe, wurde er sehr, sehr wütend und brüllte mich an: «Das wäre ja wohl total unprofessionell, ich bin doch schließlich kein kleines Kind!»

Ansonsten sind die Costa Ricaner aber nach dem, was ich bei Rodrigo beobachten konnte, sehr nette, herzliche, großzügige Menschen und wirklich gute Musiker. Allerdings machen sie nie den Abwasch, putzen nie das Klo, rauchen selbst unter der Dusche und schlafen auch gern mal auf dem Küchenboden, mit dem Gesicht in der Minipizza, die sie sich gerade auf dem Nachhauseweg noch besorgt hatten.

Also alles in allem kann man eigentlich sagen: Menschen wie du und ich.

FUSSBALL

Der Spitzname der Costa Ricaner ist Ticos beziehungsweise Ticas. Wäre die Mannschaft gemischtgeschlechtlich aufgestellt, könnte sie also ein konsequentes Tico-Tica spielen. In Kombination mit endlosen Bananenflanken wäre das bei ihrer extrem schweren WM-Gruppe eine Möglichkeit, die Gegner zu überraschen. Costa Rica, das in der Qualifikation Mexiko deutlich hinter sich gelassen hat, braucht allerdings vielleicht gar keinen Wortwitz, um sehr viel besser abzuschneiden, als die Italiener, Engländer und Uruguayer sich das im Moment noch vorstellen.

ECUADOR

Alexander von Humboldt sagte bereits Anfang des 19. Jahrhunderts über Ecuador: «Die einzige Konstante dort ist die Vielfalt.» Das gilt bis heute. Das vergleichsweise kleine Ecuador ist eines der artenreichsten Länder der Erde. Den unbedingten Willen und das große Talent des Ecuadorianers zur Artenvielfalt durfte ich Anfang der neunziger Jahre erleben, als mein damaliger Mitbewohner Rodrigo sein Zimmer während einer dreiwöchigen Deutschlandtournee an seinen ecuadorianischen Bekannten Pedro untervermietete.

Es ist erstaunlich, welche Artenvielfalt zwei Junggesellen ohne haushalts- oder ordnungspolitisches Konzept in nur drei Wochen in einer Küche herbeiführen können. Von den Erfahrungen mit Pedro kann ich nur sagen: Ecuadorianer sind schweigsame, aber warmherzige Menschen, mit denen man außerordentlich gut auskommen kann. Von der Mentalität her passen Niedersachsen und Ecuadorianer fast schon viel zu gut zusammen. Auf ernstzunehmende Probleme stößt man erst, wenn man große gemeinsame Ziele hat. Also kleine Ziele, wie vielleicht «mal lüften», lassen sich noch einigermaßen problemlos erreichen. Aber

Deutsch-ecuadorianische Haushaltsplanung von 1990. Wir hatten ja nichts, damals. Außer Abwasch.

erheblich ambitioniertere Pläne, wie den Abwaschberg abzutragen oder den Küchenboden feucht zu wischen beziehungsweise ihn überhaupt erst mal grundsätzlich sichtbar zu machen, scheitern leider relativ regelmäßig am dann letztlich doch nicht hinlänglich ausreichenden Problembewusstsein aller Beteiligten.

WIRTSCHAFT UND TOURISMUS

Biologen und andere Naturforscher hätten sicher große Freude an geführten Expeditionen durch unsere Küche gehabt, wobei Ecuador selbst, wie man hört, als Reiseziel wohl noch lohnenswerter sein soll. Die wichtigste Sehenswürdigkeit ist natürlich die exakt über den Äquator gespannte Schnur, welche dem Land ja auch seinen Namen gab. Aus diesem Grund sollte man Ecuadors Wildnis auch nie ohne Fremdenführer durchstreifen. Die Schnur ist wirklich sehr dünn, man sieht sie ohne Ortskundigen kaum und stolpert leicht darüber.

Der wichtigste Exportartikel nach dem Erdöl sind übrigens Schnittblumen, vor allem Rosen. Wer also mal nach Ecuador eingeladen wird und sich denkt: «Na, da bring ich doch mal Blumen mit» – lieber nicht, die haben da echt mehr als genug davon. Über Pralinen oder, noch besser, richtig guten Käse freut sich der Ecuadorianer dagegen laut Pedro eigentlich immer.

DINOSAURIER

Falls es irgendwo auf der Welt noch mal Dinosaurier geben sollte, dann auf den Galápagosinseln, die auch zu Ecuador gehören. Flora und Fauna dieser wahrscheinlich zwischen fünfhunderttausend und vier Millionen Jahre alten Inseln hatten nie Kontakt zum Festland, weshalb Besucher hier selbstverständlich die Straßenschuhe ausziehen müssen, keine Tiere und Pflanzen ansprechen dürfen und sich möglichst klimaneutral verhalten sollen.

Fast ein Zehntel der ecuadorianischen Bevölkerung sollen Musiker, Bildhauer, Maler oder Schriftsteller sein. Das ist eine außergewöhnlich hohe Zahl. Vielleicht ist es das Gebirge, die Anden, das die vielen Künstler inspiriert und beflügelt. Auch ich habe über die Anden ein Werk verfasst, eines meiner ersten. Ein Gedicht, genauer ein Limerick, mit dem ich vor über dreißig Jahren in Diepholz an einem Wettbewerb teilgenommen habe, anlässlich der Einführung einer «Anden-Pullover-Kollektion» in «Peggys Hot Jeans Shop». Der Limerick, mit dem ich immerhin einen Einkaufsgutschein von zwanzig Mark gewonnen habe, ging so:

Es ging in den Anden einst wandern,
ein Wandrer mit zwei Salamandern.
Doch weil die ununterbrochen
nach Reptilien gerochen,
sucht er sich nächst' Mal zum Wandern 'nen andern.

Ich habe den Gutschein tatsächlich zum Erwerb eines Anden-Pullovers eingelöst. In der Zeit der Friedensbewegung hat sich dieser erstaunlich positiv auf meine Chancen bei Mädchen ausgewirkt, weshalb ich mich bis heute den Anden schon irgendwie zärtlich verbunden fühle.

Es gibt wohl kaum ein Land mit weniger berühmten Persönlichkeiten als Ecuador. Nach einer Umfrage ist der berühmteste Ecuadorianer der ehemalige Staatspräsident Eloy Alfaro (1842–1912), der die klerikale Diktatur beendete. Und dann kommt schon der einzige ecuadorianische Olympiasieger aller Zeiten: Jefferson Pérez, ein Geher. Ich würde mal sagen, wenn das die beiden berühmtesten Ecuadorianer sind, erübrigen sich weitere Fragen.

Nicht einmal die Fußballer kennt man so richtig, obwohl die wirklich ziemlich gut sind. Aber allein dem von mir noch immer hochgeschätzten Pedro zuliebe würde ich mir wünschen, dass ihre Mannschaft, «La Tri» («Die Dreifarbige»), nach der WM aber mal so richtig weltberühmt ist!

HONDURAS

ALLGEMEINES

Die meisten Deutschen wissen nur sehr wenig über Honduras. Dass ich ein wenig mehr über das Land weiß, liegt an Katja Schaller. Katja Schaller kommt zwar gar nicht aus Honduras, sondern aus Vaihingen an der Enz in Baden-Württemberg, aber wegen Katja Schaller, also *nur* wegen Katja Schaller, war ich vor rund fünfzehn Jahren in einem honduranischen Kinofilm. Er hieß «Anita, die Insektenjägerin» oder so ähnlich, und es ging um ein junges Mädchen, ihren Bruder, eine Schule und irgendwie auch um eine Wäscherei in Tegucigalpa, der Hauptstadt von Honduras, obwohl dann vieles an einer Küste spielte. Also glaube ich zumindest. Der ziemlich gesprächslastige Film war einigermaßen lang, gefühlt dürften das so um die drei Stunden gewesen sein. Alles auf Spanisch, mit englischen Untertiteln, von denen ich aber immer nur den Satzanfang und das Satzende lesen konnte, da direkt vor mir eine junge Frau mit einer völlig unnötigen und absurden Hochsteckfrisur saß. Bis heute frage ich mich daher, wann immer ich Honduras höre: Was geht in Menschen vor, die sich, bevor sie ins Kino gehen, extra eine Hochsteckfrisur machen? Das kann doch nur reine Boshaftigkeit sein, oder?

Solange dafür keine Tiere leiden mussten, ist gegen Hochsteckfrisuren
außerhalb des Kinos eigentlich nichts zu sagen.

WIRTSCHAFT UND GESCHICHTE

Es ist natürlich extrem ungerecht, bei Honduras immer nur
an Hochsteckfrisuren zu denken. Das Land hat schließlich
genügend andere und größere Probleme als Hochsteckfrisuren. Es ist selbst für lateinamerikanische Verhältnisse sehr arm, hatte mehr Militärputsche als der 1. FC Köln
Trainerentlassungen und im letzten Jahr ein Bruttosozial-
produkt, das umgerechnet wohl etwa einem Monatslohn
von Lionel Messi entspricht. Jahrelang galt Honduras als
das Sinnbild einer Bananenrepublik, was allerdings nur
zur Hälfte berechtigt ist: Bananen gedeihen dort seit Jahrzehnten in rauen Mengen und prächtig; Republik eher weniger.

In Honduras betrat Christoph Kolumbus erstmals amerikanisches Festland. Damit fing für die Honduraner eigentlich der ganze Mist an. Er war es, der dem Land den wirklich schönen Namen Honduras gab, was übersetzt so viel heißt wie «Große Tiefe», womit Kolumbus auf die tiefen Gewässer vor der Küste anspielte. So wurde allen nachfolgenden Besuchern signalisiert, hier kann man gut anlanden, weshalb einige Zeit später auch Cortés in Honduras an Land ging und den Ureinwohnern erst mal mit Wucht erklärte, warum man heutzutage im Geschichtsunterricht nicht von der Entdeckung, sondern von der Eroberung Amerikas spricht. Seitdem gehörte den Honduranern ihr Land eigentlich kaum einmal selbst. Sie wohnten da nur immer.

FUSSBALL

Fußball hat in Honduras eine enorme Bedeutung. Wie groß, konnte man 1969 erfahren, als nach einem verlorenen WM-Qualifikationsspiel gegen El Salvador eine kriegerische Auseinandersetzung zwischen diesen beiden Staaten begann. Sie ging tatsächlich als «Fußballkrieg» oder auch «Hundert-Stunden-Krieg» in die lange Geschichte sinnloser Kriege ein.

Bei allen Fußballweltmeisterschaften, für die Honduras sich hingegen qualifizieren konnte, blieb es ohne einen einzigen Sieg. Beim letzten Turnier in Südafrika gelang ihnen sogar nicht einmal ein Tor. Dennoch aber war Honduras immerhin schon genauso oft Weltmeister wie Holland.

In jedem Fall gönne und wünsche ich Honduras von

48

Herzen jeden möglichen Erfolg bei dieser WM. Mehr noch: Sollte Honduras ein Spiel gewinnen, dann werde ich mir zur Feier des Tages eine Hochsteckfrisur machen und nochmals einen honduranischen Film gucken. Und das, obwohl ich dafür natürlich erst einmal einen gutsortierten Haarverleih finden müsste. Doch das wird die Honduraner ja wohl nur eher so am Rande interessieren. Zu Recht.

ALLGEMEINES

Obwohl Kolumbien nach Christoph Kolumbus benannt ist, hat der das Land eigentlich nie betreten. «Entdeckt» wurde es von Amerigo Vespucci und Alonso de Ojeda. Weder Vespuccistan noch Ojedanien hätten als Ländername richtig gut geklungen, aber vielleicht hat man das Land auch deshalb nach Kolumbus benannt, weil der ihm die Entdeckung erspart hatte. Kolumbien war reich an Gold und Smaragden, was die folgenden Konquistadoren veranlasste, das Land wieder und wieder und wieder zu entdecken beziehungsweise zu erobern. Viele suchten auch nach «Eldorado», der sagenhaften Stadt aus Gold. Unter anderen, sehr viel später, Klaus Kinski und Werner Herzog. Eine der Legenden um Eldorado besagt, dass derjenige, der diese Stadt voller Gold und Edelsteine finde, bei ihrem Anblick unweigerlich wahnsinnig werde. Kinski hingegen hat bewiesen, dass man, auch ohne Eldorado erblickt zu haben, sehr gut wahnsinnig werden kann. Alles nur eine Frage der inneren Einstellung.

Der Befreier Kolumbiens war der Unabhängigkeitskämpfer Simón Bolívar, doch auch nach dem hat sich Kolumbien nicht benannt, sondern eben das Nachbarland

Bolivien. Rodrigo, mein ehemaliger Mitbewohner, erklärte mir hierzu, Kolumbianer täten nie das Erwartbare, Logische oder Vernünftige. Die würden alles irgendwie falsch rum machen. Das fände er an Kolumbianern irrsinnig nervig. Man sollte hierzu wissen, dass diese Beschwerde von jemandem geführt wurde, der im Sommer sehr gern draußen barfuß lief und seine Schuhe erst anzog, wenn er die Wohnung betrat, um ebendiese nicht zu beschmutzen.

POLITIK UND WIRTSCHAFT

In Europa denkt man bei Kolumbien als Erstes an Drogen, das Cali- oder das Medellín-Kartell. Nach dem Ende des Kalten Kriegs stieg Kolumbien neben dem arabischen Raum und Ex-KGBlern zum drittgrößten Lieferanten von Bösewichtern für Hollywood auf. Seit geraumer Zeit belegt Kolumbien auch Jahr für Jahr den ersten Platz, was die Zahl der politischen Morde und Entführungen anlangt. Die nächstwichtigen Wirtschaftszweige nach dem Drogenhandel sind der Kaffeeanbau und erstaunlicherweise Schnittblumen, vor allem Nelken und Orchideen. In Kolumbien gibt es allein dreitausendfünfhundert verschiedene Orchideenarten. Die benötigt man aber auch, da die Drogenkartelle ihre Drohungen gern mittels einer Orchidee überbringen. Bei dreitausendfünfhundert verschiedenen Arten haben sie in ihren düsteren Botschaften deutlich mehr Abstufungen und Ausdrucksmöglichkeiten als die Eskimos Wörter für Schnee. Wobei die kolumbianischen Drogenbosse wahrscheinlich auch viele verschiedene Wörter oder Orchideen für ihren Schnee haben, aber das wird jetzt alles in allem doch etwas zu bekifft.

Der durchschnittliche Kolumbianer schwingt sich jeden Morgen auf sein Fahrrad und radelt erst mal eine schöne Bergetappe durch die Anden, wo er fröhlich «El cóndor pasa» pfeifend nach seinem Wappentier Ausschau hält. Dann sucht er sich ein schattiges Plätzchen und isst «Reis mit Bohnen und irgendein gebratenes Fleisch». Dies nämlich ist, laut meinem viel durch Südamerika gereisten Freund, quasi das Nationalgericht aller Staaten, die einen Kondor im Wappen tragen. Und das sind einige. Obwohl laut Reiseführer in all diesen Ländern die Küche reichhaltig, abwechslungsreich, vitaminreich und pfiffig sein soll, gäbe es letztlich dann doch immer nur «Reis mit Bohnen und irgendein gebratenes Fleisch». Er erzählte mir das mit einer relativen Leidensmiene. Allerdings weiß ich, dass er in einem Landstrich in Norddeutschland aufgewachsen ist, wo es mindestens fünfzehn Jahre seines Lebens auch immer nur «Kartoffeln, Fleisch und irgendein zerkochtes Gemüse» gab. Ein weiterer Vorteil unserer Herkunft: Wer in Niedersachsen aufgewachsen ist, dem schmeckt es später eigentlich überall.

Am Nachmittag dreht der Kolumbianer schnell fünf Telenovela-Folgen, zum Beispiel «Yo soy Betty», was übersetzt so viel heißt wie «Verliebt in Berlin mit Alexandra Neldel», und steckt in den Drehpausen einige Meerschweinchen in

Dosen, die er später in den Supermarkt stellt, um Europäer zu schocken.

Nachdem es zum Abendessen noch mal «Reis mit Bohnen und irgendein gebratenes Fleisch» gab, bemüht er sich, nicht aufzustoßen, weil ihm sonst womöglich «Hundert Jahre Einsamkeit» drohen. (Obwohl er die Zeit sicher gut nutzen würde, denn er ist sehr nachdenklich und sogar noch voller nobler «Liebe in den Zeiten der Cholera».) Wenn es Nacht wird, setzt er sich eine blonde Perücke auf, ruft: «Shakira, Shakira!», und tanzt Waka-Waka, bis sich Koks und Marihuana gute Nacht sagen.

FUSSBALL

Für viele Experten war Kolumbien ein Geheimfavorit dieser WM. So lange, bis sich der alles überstrahlende Superstar Falcao verletzt hat. Nun allerdings könnte Ramos, der Stürmer von Hertha BSC, zum großen Star der Kolumbianer werden. Ein Hertha-Spieler, der, bevor Luhukay den Verein trainierte, keine zwei Meter ohne Ballverlust laufen konnte, wird zum Star einer Weltmeisterschaft – das wäre wohl selbst für kolumbianische Verhältnisse so unerwartet und absurd, dass die Kolumbianer ihr Land dann eigentlich nach Luhukay umbenennen könnten.

ALLGEMEINES

Wohl kaum ein Land hat die deutschen Dichter, Denker und Philosophen derart fasziniert, inspiriert und beflügelt wie das sonnige, lebensbejahende Mexiko. Nicht wenige sind der Auffassung, die gesamte deutsche Philosophiegeschichte von Kant bis Wittgenstein, von Herder bis Fichte, von Schopenhauer bis Nietzsche ließe sich zusammenfassen in dem schönen Satz: «Lebe glücklich, lebe froh wie ein Floh in Mexiko.»

Weitere goldene Worte, mit denen Mexiko tief in die kulturelle Identität der Deutschen hineingemeißelt wurde:

«Ich fand sie irgendwo, allein in Mexiko – Anita!»

«Ich fahre nach Meeeeexiko, und hau den jungen Mädchen auf den Popo ...»

Und natürlich: «Fiesta! Fiesta Mexikana! Heut geb ich zum Abschied für alle ein Fest.»

Aus einem dieser Stücke stammen auch die vier Wörter, die die mit Mexiko verbundenen Träume, Hoffnungen und Sehnsüchte der Deutschen so präzise zusammenfassen, wie es kein sechshundertseitiger Bildungsroman je könnte. Die vier unsterblichen Wörter: «Hossa! Hossa!! Hossa!!! Hossa!!!!»

Das wahre Mexiko. Es beginnt immer mit einem Mariachispieler, und bald schon tanzen die Menschen auf der Straße. Bei der Gelegenheit: Was macht eigentlich Waldemar Hartmann?

Mexiko – das ist ein Teil deutsche Kulturgeschichte, ach was, deutsche Frohsinnsgeschichte!

Mexiko – das ist Sombrero, Compañero, Gitarrero, Pistolero, nixo Grenze pasajero …

Mexiko – Einwandero illegalo, escándalo americano, Mexiko …

Mexiko – da singst du la cucaracha, la cucaracha, mit

Speedy Gonzales, der schnellsten Maus von Mexiko, arriba, arriba, ándale, ándale, arriba … und dazu natürlich Tequila und tanzen, Mariachis lauschen und Tequila, und Taco und Enchilada und Tequila und isst dazu das schärfste Chili der Welt, bis dein Magen macht die La Ola und Montezumas Rache dich ereilt.

So ist Mexiko. Ich war noch nie da, aber ich kenne es – aus Filmen und aus Schlagern. Also, das wahre Mexiko. Und ich liebe es.

GESCHICHTE

Mexiko war das Zentrum der untergegangenen Reiche der Maya und der Azteken. Damit haben die Mexikaner genau genommen den Fußball erfunden, denn die Azteken haben früher schon so eine Art Fußball gespielt. Die Maya hingegen hatten sich in ihrem Kalender das Jahr 2012 dick rot angestrichen, weil da normalerweise die Welt hätte untergehen sollen. Aber was ist bei einem Weltuntergang schon normal? Nach derzeitigem Kenntnisstand ist vermutlich gar nichts geschehen. Es sei denn, die Welt ist auf eine Art und Weise untergegangen, die die Menschheit in ihrer Beschränktheit noch gar nicht wahrgenommen hat. Dann hätten die Maya natürlich recht. Aber recht zu haben, wenn es keiner merkt, bringt ja nun auch nicht viel und macht, wie ich aus eigener Erfahrung zur Genüge weiß, keinen Spaß, sondern im Gegenteil nur verbittert. Grundsätzlich würde ich ja, wenn ich Prophet wäre, nie einen Weltuntergang prophezeien. Schon aus logischen Gründen: Hat man am Ende unrecht, wird man ausgelacht. Behält man jedoch recht, hat man auch nicht so richtig was davon. Eine klassische Loose-loose-Situation. Aber Weltuntergangspropheten denken ja häufig nicht ans Morgen.

Mexiko musste sich mehrfach befreien. Von den Spaniern, von den Amerikanern, von den Franzosen und dann in der Mexikanischen Revolution noch mal von sich selbst. Zurzeit versucht es, sich von den Drogenkartellen zu befreien, wartet aber noch auf einen neuen Pancho Villa, den mexikanischen Robin Hood. Am besten wäre natürlich Zorro. Die wohl effektivsten Schläge gegen die mexikanische Drogenmafia gelangen bislang Walter White, aber der musste damit ja auch nach der fünften Staffel «Breaking Bad» aufhören.

TAGESABLAUF

Jeden Morgen nimmt sich der Mexikaner seinen Sombrero, die Gitarre und das mit Pailletten bestickte Bolérojäckchen, um mit seinen Mariachis so lange zu spielen, bis das beste Chili südlich des Río Bravo auf dem Tisch steht. Dann sattelt er sein Pferd und reitet zum Volkswagenwerk, wo er in aller Seelenruhe Käfer baut. Wenn er nebenbei noch Rinder hütet, nennt er sich Charro und ist ein großer Rodeostar. Sollte der Mexikaner weder bei VW noch als Charro, noch als Musiker arbeiten, tut er Würmer in Schnapsflaschen oder fördert Erdöl. Ist der Mexikaner eine Frau, ist sie oft umwerfend schön. Im Einzelfall kann sie Salma Hayek heißen und Frida Kahlo spielen. Dann malt sie im Stile des volkstümlichen Surrealismus Etiketten für durchsichtige Trendbierflaschen und summt dabei «Bésame mucho» oder «Samba pa ti», bevor sie in der mexikanischen Höhenluft noch schnell eine Reihe ewiger Leichtathletikweltrekorde aufstellt und sich zum Feierabend mit ihren Amigos abgefahrene Jalapeños mit Tortilla und Taco, Tequila und Mezcal reinpfeift oder «La Bamba» tanzt, bis die la Cucaracha kracht.

GEFAHREN

Für kaum ein Land gibt das Auswärtige Amt so viele Reisewarnungen raus wie für Mexiko. Aber auch in Deutschland lauern Gefahren mit mexikanischem Hintergrund. Wenn nämlich deutsche Männergruppen Sombreros tragen, also so riesige Plastiksombreros, dann ist höchste Vorsicht geboten. Denn diese Männergruppen gönnen sich vermutlich eine Nacht lang Lebensfreude pur ohne Rücksicht auf Verluste. Wer wie ich einmal erleben durfte, wie sich ein hochgewachsener Mann im Gehen in die Hutkrempe seines Vordermannes übergeben hat, der begegnet solchen Gruppen nur noch mit respektvoller Distanz. Erst recht, wenn diese Männer mit den großen Sombreros schon schwanken.

FUSSBALL

Dass ausgerechnet Mexiko, der Angstgegner Brasiliens, in seine Gruppe gelost wurde, findet der Gastgeber sicher nicht lustig. Erst bei der Olympiade 2012 schnappte Mexiko den Brasilianern im Finale die Goldmedaille weg. Wenn ihnen das bei der Weltmeisterschaft wieder gelänge, dann wäre es mit endlosen «La-Ola»-Wellen durchs ganze Land wohl noch längst nicht getan. Da würden die Mexikaner womöglich gleich fünfmal «Hossa» rufen!

ALLGEMEINES

Die Uruguayer sind so etwas wie die Ostfriesen Südamerikas. Zumindest erzählte mir das mein ehemaliger paraguayischer Mitbewohner Rodrigo. Regelmäßig gab er damals Uruguayer-Witze zum Besten. Die waren allerdings meist recht verwinkelt und schwer zu verstehen. Südamerikanischer Humor eben. Meine Erinnerung an einen dieser Witze sei hier kurz exemplarisch wiedergegeben.

Rodrigo fragt:

«Wie erkennt ein Uruguayer den Unterschied zwischen einem weiblichen und einem männlichen Esel?»

Ich zucke die Schultern. Rodrigo prustet:

«Er schaut in seinen Pass.»

Rodrigo schüttet sich aus vor Lachen, schlägt, wie es seine Art ist, erst mit der Hand, dann mit der Faust und schließlich mit der Stirn auf den Küchentisch.

Ich sage:

«Versteh ich nicht. Haben die Esel in Uruguay denn Pässe?

«Natürlich nicht, er schaut in seinen eigenen Pass.»

«Wie? In seinem Pass steht drin, ob sein Esel männlich oder weiblich ist?»

«Natürlich nicht.»

Spätestens jetzt war es mir gelungen, Rodrigo richtig sauer zu machen.

«Er selbst ist der Esel! Das ist doch der Witz! Er, der Uruguayer selbst ist der Esel!»

Solcherlei rief er dann noch mehrfach aus, manchmal flankiert von Vorwürfen, ich hätte seinen Witz sehr wohl verstanden, ich würde diese dummen Nachfragen nur stellen, um ihn zu ärgern, weil ich das witzig fände, wenn er sich ärgere (was tatsächlich stimmte), dabei sei das aber gar nicht witzig (was nicht stimmte).

Dann war Rodrigo den Rest des Tages beleidigt und beschwerte sich bei all seinen südamerikanischen Freunden, die Deutschen im Allgemeinen und ich im Speziellen hätten einfach keinen Humor oder seien deprimierend dämlich.

WIRTSCHAFT

Vielleicht gelten die Uruguayer auch deshalb als ein bisschen dumm, weil sie so ehrlich sind. Im Gegensatz zu den meisten anderen südamerikanischen Ländern gibt es in Uruguay fast keine Korruption. Uruguay ist sehr klein und sehr arm. Trotzdem hat es vergleichsweise stabile gesellschaftliche Verhältnisse und ein funktionierendes Sozialwesen.

Dass Uruguay eine der geringsten Korruptionsraten aller lateinamerikanischen Länder, ja überhaupt aller spanischsprachigen Länder hat, rührt vielleicht auch daher, dass es so wenig westliche Firmen in Uruguay gibt. Denn das Land hat praktisch keine Bodenschätze und auch sonst nichts von Wert, nicht einmal Wald. Die wichtigste Industrie ist das Viehhüten.

POLITIK UND STAAT

Uruguay hat den vermutlich coolsten Staatspräsidenten der Welt. Würde ich heute noch einmal T-Shirts mit den Porträts von süd- oder mittelamerikanischen Politidolen tragen, fiele meine Wahl ohne Frage auf den achtundsiebzigjährigen uruguayischen Staatschef José Mujica, genannt Pepe. Der Ex-Guerillero und frühere Tupamaros-Anführer begann nach einer mehrjährigen Gefängnisstrafe eine seriöse politische Karriere, die ihn 2010 tatsächlich ins Amt des Staatspräsidenten führte. Als Erstes verkaufte er die luxuriöse Präsidentenvilla und investierte den Erlös in den sozialen Wohnungsbau. Er selbst wohnt weiter auf seinem Kleinbauernhof, wo er ausländische Fernsehteams gerne in Gummistiefeln empfängt und ihnen seine umsichtige, defensive Wirtschaftspolitik erklärt, die Uruguay das stabilste Wachstum Südamerikas beschert. Zuletzt hat er übrigens den Anbau und Handel von Marihuana legalisiert, um sein Land für Drogenkartelle unattraktiv zu machen. Mujicas Dienstwagen ist ein alter Opel Corsa, neunzig Prozent seines Gehalts spendet er karitativen Einrichtungen, und für Staatsbesuche nimmt er schon mal Linienflüge mit Frühbuchertarif, um seinen Staatshaushalt nicht unnötig zu belasten. Für frühere Revoluzzer hierzulande, die poli-

*José Mujica, der Präsident Uruguays, kurz vor dem Empfang inter-
nationaler Staatschefs in seinem privaten Vorgarten.*

tische Karrieren gemacht haben, wie den in jeder Hinsicht
gutgepolsterten BMW-Werbeträger Joschka Fischer, muss
das alles natürlich unglaublich albern klingen.

Apropos albern: Die Hauptstadt von Uruguay heißt
Montevideo, was übersetzt so viel bedeutet wie Berg (Mon-
te) mit Aussicht in HD-Qualität. Meldungen, die Hauptstadt solle demnächst im Zuge des technischen Fortschritts
in Montebluray umbenannt werden, gehen aber wohl auf
ein kalauerbasiertes Gerücht zurück.

Der wichtigste Exportartikel Uruguays sind natürlich Fußballer. Man war ja schon zweimal Fußballweltmeister. Das ist zwar lange her, aber immerhin war Uruguay damit doppelt so oft Weltmeister wie England und unendlich viel mehr Weltmeister als zum Beispiel Portugal.

Der uruguayische Fußball gilt als sehr rustikal, aber sympathisch, genau wie die Uruguayer selbst. Viele Frauen, auch und gerade in meinem Umfeld, sind glühende Fans der uruguayischen Mannschaft. Das liegt an Diego Forlán. Ich kenne tatsächlich eine Frau, die sich ein fünfminütiges Video zusammengeschnitten hat, das nur zeigt, wie Diego Forlán irgendetwas mit seinen Haaren macht oder läuft oder schwitzt.

Wenn in der WM-Vorrunde Diego Forlán auf Wayne Rooney trifft, sind die Sympathien bei praktisch allen meinen weiblichen und homosexuellen Freunden ziemlich klar verteilt. Dabei ist Wayne Rooney doch auch einer, der läuft, schwitzt und etwas mit seinen Haaren gemacht hat. Aber wenn zwei das Gleiche tun, ist es eben noch lange nicht dasselbe.

ALLGEMEINES

Die USA sind das Einwanderungsland schlechthin. Deshalb gilt US-Amerika auch als Viel-
völkerstaat, also quasi. Seine Polizisten
sind Iren, seine Verbrecher Italiener, seine
Sozialarbeiter Puerto Ricaner, seine Köche
Chinesen, und die Deutschen arbeiten in
Las Vegas, wo sie sich für viel Geld von wei-
ßen Tigern fressen lassen.
Andere berühmte Amerikaner kommen von noch
weiter her, wie zum Beispiel Alf, Mork vom Ork, Flipper
oder Darth Vader. Genau wie in seinen Filmen verkörpert
der Amerikaner auch sonst häufig gleichzeitig die gute und
die dunkle Seite der Macht. Er kümmert sich gern um alles,
und da steigert er sich schon mal in einen regelrechten Kon-
trollwahn rein. Sollte es ihm dann über den Kopf wachsen,
erfindet er schnell ein paar Superhelden wie Superman,
Batman, Spiderman oder gleich ganze Combos wie die Fan-
tastischen Vier oder Marvel's Avengers. Die regeln dann
quasi alle Probleme auf die unkomplizierte amerikanische
Art. Während sich andere Nationen in ihrem Bedenkenträ-
gertum suhlen, ständig nur diskutieren und wegen irgend-
welcher Verträge, Absprachen, Regeln, Menschenrechte
oder Antispionageabkommen defätistisch herumeiern, tut

«Ich spürte eine starke Erschütterung der Macht.» Schön zu sehen, dass auch Darth Vader Mensch geblieben ist.

der amerikanische Held ohne viel Worte, was getan werden muss, und erwartet gar keine großen Reaktionen. Die er in der Regel sowieso nicht bekommt, da man dem Amerikaner ja lieber nicht widersprechen will.

KULTUR

Niemand auf der ganzen Welt produziert derart viel Kultur wie der US-Amerikaner. Den Überschuss muss er natürlich exportieren. Ein Leben in Deutschland ohne amerikanische Kulturexportgüter kann man sich gar nicht mehr vorstellen. Ich will es mir auch gar nicht vorstellen. Natürlich, nicht alles, was aus Amerika kommt, ist super. Wer Käse in den Pizzarand spritzt, erfindet auch schnell mal so Sachen wie «America's Next Topmodel» und hat vor

genetisch verändertem Saatgut oder grundwasserverseu-
chendem Fracking kein Fracksausen. Aber wie sagte schon
Tony Soprano: «Eine falsche Entscheidung ist besser als gar
keine Entscheidung.» Beziehungsweise, um es mit meinem
liebsten Soprano-Zitat zu sagen: «Auch eine kaputte Uhr
zeigt zweimal am Tag die richtige Zeit an.»

Zudem sollte man nicht vergessen: Ohne die USA und
den Wilden Westen hätte sich beispielsweise auch Karl
May niemals Old Shatterhand und Winnetou und die ganzen anderen Indianer ausdenken können. Selbst unsere ur-
eigene, deutsche Kultur wäre ohne die Vereinigten Staaten
also viel ärmer.

TAGESABLAUF

Der durchschnittliche US-Amerikaner frühstückt Corn-
flakes mit Pancakes und joggt dann ein wenig durch den
Central Park, ehe er sich auf sein Pferd schwingt, nach
Wyoming reitet und das Vieh zusammentreibt. Dabei ruft
er immer «Yippie ai jei, cowboy!» oder «I just called to say
I love you!»

Ist der Amerikaner eine Frau, der beispielsweise beim
Super Bowl in der Halbzeit das Dekolleté verrutscht, gibt
es immer gleich ein paar andere Amerikaner, die dann komplett am Rad drehen. Das sind häufig dieselben, die mal in
Boston Tee ins kalte Wasser geworfen haben, beziehungsweise natürlich die, die sich heute als die Nachfahren der
Teewerfer sehen und denken, weil es einmal richtig war,
Tee ins kalte Wasser zu kippen, haben sie auch jetzt irgendwie recht, wenn sie destruktive, schwachsinnige Dinge tun.

Der konstruktive Amerikaner dagegen fängt gegen Mittag in den Straßen von San Francisco einige Verbrecher, bis er nachmittags in die Enterprise steigt und gegen Klingonen und Romulaner kämpft. Sollte bei diesen Kämpfen mal das Raumschiff kaputtgehen, dann holt er schnell MacGyver, der beispielsweise in null Komma nix den Warp-Antrieb mit nichts weiter als einem Bleistift und einer Packung Kaugummi repariert, bevor er sich von Scotty zurück nach Houston beamen lässt, wo es ja auch immer mal Probleme gibt. Nachts wechselt der US-Amerikaner die Hautfarbe und spielt in Harlem oder New Orleans Jazz oder Blues oder Gangsta-Rap oder Hiphop oder was auch immer. Praktisch jede Musik, die der US-Amerikaner macht, ist großartig, außer Dixieland, aber den lässt er eigentlich nur hören, wenn er gerade in Deutschland beim sogenannten Jazzfrühschoppen auftritt. Daheim spielt er die ganze Nacht durch, bis Woody Allen mit seiner Klarinette vorbeikommt oder Johnny Depp mit seiner Gitarre oder Bob Dylan von seiner Tournee.

Das mit dem Hautfarbe-Wechseln war natürlich ein Witz. Der einzige US-Amerikaner, dem dies wirklich gelang, war Michael Jackson. Ist ihm aber mental wie körperlich nicht so gut bekommen. Elvis Presley dagegen hat nicht seine Farbe gewechselt, sondern die äußere Form. Daran hätten auch die Amerikaner schon vor langem sehen können: Immer nur mehr, mehr, mehr ist auch nicht gut. Ob Elvis Presley wirklich gestorben ist, gilt nach wie vor als umstritten. Einige Amerikaner meinen, er sei von Außerirdischen entführt worden, denen er heute die Haare vom Kopf frisst, weshalb diese Außerirdischen sich jetzt hüten, die Erde noch mal zu besuchen. Die Akte X mit den Beweisen liegt in Area 51, gleich neben dem Stargate, wo mittlerweile auch MacGyver arbeitet, oft bis in die frühen Morgenstunden, ehe er sich mit Magnum und Higgins auf Hawaii zu einer Partie Bridge trifft oder in Alaska Wolverine die Nägel schneidet oder sich mit Walter White in New Mexico was Schönes kocht oder am Strand von Malibu Pamela Anderson auf den Bay watched oder was auch immer. Na ja, der Amerikaner, der versteht jedenfalls zu leben.

FUSSBALL

Trotz vieler Bemühungen ist Fußball in den USA immer noch nicht so richtig populär. Der Amerikaner mag mehr seine eigenen Sportarten, wie kleine Bälle mit dem Stock schlagen (Baseball), Riesenschach mit echten Menschen (American Football) oder größere Bälle durch den Ring werfen (Basketball).

Der Fußball rangiert in den Einschaltquoten nach wie vor knapp hinter Sportfischen. Dies bedeutet: Selbst wenn die USA in Brasilien Weltmeister werden sollten, müssten sie hoffen, dass nicht gleichzeitig in Nebraska irgendwer einen Hundert-Kilo-Karpfen fängt, denn dann würde daheim kaum jemand von ihrem Sieg Notiz nehmen.

Da die USA allerdings in der Vorrunde auf Deutschland treffen und Klinsmann ihr Trainer ist, könnten ihre Spieler im für Joachim Löw allerschlechtesten Fall zumindest mal in Deutschland weltberühmt werden. Man kann nur hoffen, dass ihnen das keiner sagt.

EUROPA

ALLGEMEINES

Spanien war immer schon ein Land, das die Deutschen ganz besonders inspiriert hat. «Spaniens Gitarren begleiten die Verliebten seit ewigen Zeiten», stellte die deutsche Dichtkunst schon vor langer Zeit augenzwinkernd fest, nicht ohne sich auch der Farben- und Blütenpracht dieses von Sonne und Lebensfreude so reich beschenkten südlichen Traum- und Sehnsuchtslandes zu widmen: «Wenn die Rosen erblühen in Malaga, ist für uns unser Sommer der Liebe da.»

Gab es je einen verblüffenderen Reim auf «Liebe da» als «Malaga»? Man sieht, allein schon der Gedanke an Spanien kitzelt beim Deutschen sofort das Verspielte, das Unerwartete und Verrückte heraus.

GEOGRAPHIE UND SPRACHE

In Spanien gibt es natürlich auch viele großartige Städte, jede Menge Küste, Meer und Sehenswürdigkeiten, die allerdings in der Regel immer dann, wenn man sie besucht, gerade renoviert, restauriert oder umgebaut werden. Gebaut wird in Spanien grundsätzlich sehr viel. Tatsächlich kommt der Spanier schon seit einiger Zeit gar nicht mehr mit dem Wohnen hinterher, so viel, wie da in den letzten Jahren neu hingebaut wurde. Teilweise ganze Städte mitten in der Extremadura! Es wird die spanische Gesellschaft noch Jahrzehnte kosten, bis das alles wieder weggewohnt und vor allem bezahlt ist.

Wer schon immer mal eine Baustelle besitzen wollte: In Spanien gibt es ganz besonders halbfertige für wenig Geld.

Nichtsdestotrotz gibt es natürlich immer noch sehr viel sehr Schönes in Spanien. Unter anderem hat der Spanier enorm viele Talente und Sprachen. In Barcelona spricht er Katalanisch, in Bilbao Baskisch, in Sevilla Andalusisch, in Madrid Castellano und auf seinen Inseln Deutsch.

Manche Deutsche verachten den Ballermann auf Mallorca. Doch man sollte bedenken: Gäbe es ihn nicht, würde diese touristische Zielgruppe wahrscheinlich bei uns an der Ostsee oder sogar in Städten wie Berlin herumfeiern. Dann sähe es am Müggelsee aber anders aus. Insofern sollte man Mallorca aufrichtig dankbar sein, dass die sich dort um ihre Gäste kümmern und ihnen mehrfach täglich den Sangria-Eimer wechseln.

Überraschenderweise gibt es auf der Iberischen Halbinsel auch viele und steile Berge. Sehr viel steiler zumindest, als ein dummer, pickliger, achtzehnjähriger niedersächsischer Junge Mitte der achtziger Jahre gedacht hätte. Der meinte seinerzeit, er könnte mal eben mit Freunden in einem alten R4 durch Spanien nach Portugal fahren. Doch da hatte er die Rechnung ohne den R4 und den spanischen Gebirgskram gemacht. Plötzlich standen die alle da, diese unvorhersehbaren spanischen Berge, viel zu steil für den klapprigen R4, der schließlich mit einem letzten Röcheln zusammenklapperte, als wollte er sagen: «Geht ohne mich weiter! Ohne mich schafft ihr es vielleicht!» Weshalb der dumme Junge den Freunden sagte, sie sollten schon mal zur portugiesischen Küste vortrampen, was die auch taten, während er knapp eine Woche in einer spanischen Kfz-Werkstatt auf Ersatzteile für den völlig demotivierten R4 wartete.

Und wer jetzt sagt, das ist doch alles fast dreißig Jahre her, der niedersächsische Dummerjan soll mal langsam aufhören, immer, wenn es um Spanien geht, sofort von diesem uralten Urlaubstrauma zu erzählen, wer also so was sagt, der hat noch nie eine Woche im Hochsommer in einer spanischen Kfz-Werkstatt in den Bergen auf Ersatzteile für einen desillusionierten R4 gewartet.

Zur Zeit der großen Segelschiffe war Spanien die Weltmacht überhaupt, aber dann blies vor England einmal richtig Wind, und zack – weg war die Armada. Das Sinken dieser Kriegsflotte führte zur ersten spanischen Staatspleite. Seitdem kommt die wie die Wellen regelmäßig wieder.

Der berühmteste Spanier aller Zeiten, Christoph Kolumbus, war leider Italiener. Das ist natürlich Pech. Man sollte Spanier lieber nicht darauf ansprechen, sie hören das nicht so gerne. Er, also Kolumbus, ist deshalb so berühmt, weil er sein Ziel, nämlich Indien, *nicht* erreicht hat. Stattdessen entdeckte er aus Versehen den Seeweg nach Amerika. Und auch das klingt jetzt natürlich viel beeindruckender, als es eigentlich war. Seeweg nach Amerika! Hoi, hoi, hoi, ja Santa Maria, da kann man sich aber mal schön ein Ei draufstellen! Aber im Prinzip ging der Weg ja immer nur geradeaus – also mal ganz ehrlich, das is nu so doll auch wieder nicht. Zudem kann man heute rückblickend sagen, dass es den Mayas, Azteken, Inkas und anderen Völkern in Amerika bestimmt lieber gewesen wäre, wenn Kolumbus an der afrikanischen Küste entlang ganz vorsichtig ums Kap der guten Hoffnung herum nach Indien gereist wäre.

Später hatte Spanien das Pech, nicht von den Alliierten vom Faschismus befreit worden zu sein. Der Preis, den sie dafür unter General Franco zu zahlen hatten, war wohl mindestens genau so hoch wie die zeitweilige Teilung eines Landes.

TAGESABLAUF

Der durchschnittliche Spanier steht sehr früh auf, damit er zumindest ein paar ungestörte Stunden hat, bevor auch die Sonne so richtig wach ist und ihn dann den ganzen Tag lang anstrahlt. Er frühstückt nichts außer ein paar Fortuna-Zigaretten, da er der festen Überzeugung ist, dass die, die er auf leeren Magen raucht, besonders viel Glück bringen. Dann lässt er sich von jungen Stieren im schnellen Laufschritt durch die Altstadt zur Arbeit treiben, wo er am Vormittag für die Paella-Industrie in Villarriba oder Villabajo riesige Pfannen schrubbt. Mittags hätte er Siesta, in der er aber häufig von Touristen gestört wird, weil diese für ihre Urlaubstagesplanung doch ein bisschen lästig ist. Touristen aus Ländern mit gigantischer industrieller Fleischindustrie nutzen die Mittagspause gerne, um den Spaniern zu erklären, wie grausam ihre Stierkämpfe sind. Wenn dem Spanier solche Diskussionen zu blöd werden, setzt er sich aufs Pferd und kämpft mit seinem treuen Sancho Pansa zum Ausgleich gegen Windmühlen. Am Nachmittag bewirft er sich in einer anderen Altstadt mit Tomaten, malt noch Dalí Dalí ein paar zerlaufende Uhren oder begründet mit großem Pablo und Picasso die klassische Moderne, bevor er zur Entspannung und mehr aus Gaudí noch ein bisschen an der Sagrada Família werkelt. Zum Abend hin macht er sich und Javier Bardem lächerliche Frisuren, ehe er caramba caracho zum Flamenco geht, wo die fetten Kastagnetten chatten und der Rioja den Rachen hinunterströmt, bis alle Amigos, vor lauter Osbornos, werden bewusstlos und dösen dos weggos, ganz ohne adiós.

FUSSBALL

In Spanien gibt es die berühmtesten und wohl auch wahnsinnigsten Fußballvereine der Welt. Seit einigen Jahren dominiert das Tiki-Taka des FC Barcelona auch die Nationalmannschaft, die so zuletzt alles gewann, was es im Weltfußball zu gewinnen gibt. Aber die werden ja auch nicht jünger, weshalb einiges dafür spricht, dass nun mal der ein oder andere Gegner in Ballbesitz kommen könnte. Trotzdem ist ein Spiel gegen Spanien natürlich immer eine große Herausforderung. Aber andererseits auch nicht so viel größer, als etwa mit einem vollbeladenen, alten, klapprigen, lebensunlustigen R4 über die Berge nach Portugal fahren zu wollen. Doch davon habe ich, glaube ich, schon erzählt.

ALLGEMEINES

Vor noch nicht allzu langer Zeit, so vor gut fünfzig Jahren, haben die meisten Deutschen vor allem deshalb so fleißig, viel und hart gearbeitet, um sich ein Auto leisten und mit dem dann im Sommer nach Italien ans Meer fahren zu können, weil dort Deutsch gesprochen wurde. Heute muss niemand mehr lange fahren, um in Italien zu sein. In jeder deutschen Stadt gibt es mindestens ein kleines Italien. Vor kurzem war ich Zeuge, wie eine südkoreanische Berlinbesucherin den achtjährigen Sohn eines Freundes fragte, was denn typische Gerichte der deutschen Küche wären? «Nudeln und Pizza!» war die im Brustton der Überzeugung herausgeschmetterte Antwort. Die gleichaltrigen Freunde pflichteten ihm bei, einer brachte noch Pommes ins Spiel, die ja aber eher aus Belgien kommen. Den Italienern ist es zu verdanken, dass uns außer den Engländern, die aber sowieso im Allgemeinen und beim Kochen im Speziellen keine Ahnung von nichts haben, niemand mehr ernsthaft Sauerkrautfresser nennt. Wir essen mittlerweile nun wirklich alles, am liebsten aber nach wie vor italienisch.

*Wahres Glück kennt
keine Tischmanieren.
Oder wie mein
Freund Gianluca sagt:
«Italiener bekommen
Falten vom Lachen,
Deutsche vom Essen.»*

DER ITALIENER AN SICH

Der männliche Italiener gilt zumindest in Italien als großer Liebhaber, weil er viele Haare auf der Brust hat. Na ja, na ja. Wenn an dieser Begründung was dran ist, dann kenne ich aber auch Männer, die von ihrem Rücken und Hintern her große Liebhaber sein müssen.

Ist der Italiener eine Frau, ist er in jungen Jahren immer wunderschön, wird aber im Alter einigermaßen dick und ein bisschen wunderlich. Obwohl, genau genommen wäre ich nach dieser Definition ja auch eine italienische Frau.

Der Italiener hat eine ziemlich schöne, melodiöse Sprache, redet aber meistens mit den Händen oder singt direkt eine seiner weltberühmten Opern, deren schönste Arien er auch gerne als Gondoliere in Venedig schmettert. Viele Opernstars haben als Gondoliere angefangen, beispielsweise Luciano Pavarotti, aber irgendwann ist der quasi aus den Gondeln rausgewachsen, im wahrsten Sinne des Wortes. Als man für ihn zwei bis drei Gondeln benötigte, hat man ihn weiter zur Oper geschickt.

TAGESABLAUF

Der durchschnittliche Italiener steht jeden Morgen sehr früh auf, denn der frühe Vogel zappelt schon in dem Netz, mit dem er die Singvögel gerne beim Flug gen Süden abfängt. Zum Frühstück gibt's einen Espresso und eine rosa Sportzeitung, aus der er sich danach ein Trikot faltet und als Spitzenreiter des Giro mit dem Fahrrad zur Arbeit fährt. Meistens arbeitet er bei Ferrari oder Fiat oder auf einem der großen Nudelfelder. Er hat dazu sogar ein Sprichwort, das übersetzt so viel heißt wie: «Welches Auto ein Mann fährt, also Ferrari oder Fiat, hängt von der Größe seiner Nudel ab.» Deshalb fahren die meisten Italiener Fiat. Wenn ihm in der Mittagspause noch etwas Zeit bleibt, haut er gerne einen David aus Stein oder bemalt die Decken seiner Kapellen. In diesen Dingen ist er wirklich ganz, ganz groß, quasi Weltmeister. Am Nachmittag schaut er «Azzurro» pfeifend in den Himmel und geht zur Weinlese. Wessen Hände für die Trauben zu klobig sind, der wird zu den Oliven geschickt. Am Abend schließlich zieht er sich einen Eros Ramazzotti nach dem anderen rein, bis bei Capri die rote Sonne im Meer versinkt. In der Nacht jedoch wird er sentimental und träumt von amore, hört Angelo Branduardi, wünscht sich Bambini, so piccoli e fragili, doch leider will die Gianna Na Nienie...

RELIGION, POLITIK UND GESCHICHTE

Der Italiener ist extrem katholisch, deshalb hat er in seinem Staat gleich noch einen zweiten Staat, in dem der Papst regiert. Andere weltweit operierende italienische Unternehmen neben der katholischen Kirche sind die Mafia und die Camorra, wobei das eine natürlich mit dem anderen nichts zu tun hat.

Mit der Demokratie in Italien ist das ein bisschen so eine Sache. Bei der letzten Wahl waren die beiden auffälligsten Kandidaten der straffällig gewordene Präsident eines Fußballklubs und ein hauptberuflicher Komiker. Das ist ein wenig so, als wenn sich hier Uli Hoeneß und Fips Asmussen zur Wahl stellen würden. Wobei auch Silvio Berlusconi natürlich als Fips Asmussen durchgehen würde, wenngleich der bei weitem nicht so zotig ist wie Berlusconi. Als die Italiener das alles selbst nicht mehr lustig fanden, haben sie quasi die Weltbank zum Staatschef gewählt, wodurch ihnen jetzt aber, was Politik und Finanzen angeht, erst recht nicht mehr zum Lachen zumute ist.

Zwischenzeitlich war die stärkste politische Gruppierung Italiens die Toskana-Fraktion der SPD. Doch das ist nun wirklich längst Geschichte, wie so vieles in Italien.

Früher, als der Italiener noch Römer hieß, war Italien eine Weltmacht, zumindest in Europa. Doch diese Weltmacht musste zerbrechen, wegen ihrer Sprache, Latein, die die anderen Völker (mich selbst jetzt mal eingeschlossen) einfach nicht begreifen konnten. Heute ist Rom nur noch die Stadt Europas mit der meisten Geschichte überhaupt. Diese Geschichte beeinflusst den Italiener nach wie vor. So weiß man beispielsweise, dass Italiener, die Julius heißen, ihre Söhne nur ungern Brutus nennen, weil sie aus der Geschichte gelernt haben.

FUSSBALL

Um es gleich vorweg zu sagen: Der italienische Fußball ist in Deutschland nicht sehr beliebt. Noch nie hat die deutsche Nationalmannschaft bei großen Turnieren gegen Italien gewonnen. Fundament italienischer Stärke ist stets die Defensive, früher war es sogar der Catenaccio, der ursprünglich übrigens eine Art umbrischer Tanz ist, bei dem man einfach nur immer wieder gegen eine Wand laufen muss. Die Deutschen haben daher jetzt ihre Stürmer extra als Spione in die italienische Liga geschickt, damit die die Tricks der italienischen Verteidiger ausspionieren können. Eigentlich ein guter Plan, aber leider sind die Stürmer nun dort ununterbrochen verletzt. Die Italiener sind eben auch nicht blöd. Nein, das sind sie wirklich überhaupt nicht.

Kurz und gut: Italien ist immer Favorit oder zumindest Mitfavorit. Aber weniger, weil die Italiener so überragend spielen, sondern eher, weil ihre Gegner einfach nie gewinnen. Und wenn keiner gewinnt, wird eben häufig Italien Weltmeister.

GRIECHENLAND

ALLGEMEINES

Vor langer Zeit haben die Griechen den Sport erfunden, als der erste Marathonläufer tot umfiel. 2004 durften sie noch einmal die Olympischen Spiele ausrichten. Damals hatten sie dafür extra viele neue Friedhöfe gebaut. Es ist dann aber keiner der Athleten tot umgefallen. Die Planungen der Griechen gehen nicht immer auf.

Die Griechen mögen alte Sachen, schon immer. In Griechenland gibt es einige Dinge von hier, die den Deutschen irgendwann zu alt waren, wie Kläranlagen, Autos oder Panzer. In Griechenland funktionieren diese Dinge, die hier keiner mehr wollte, noch tadellos.

Eine dieser Sachen, die hier keiner mehr haben wollte, war Otto Rehhagel. Der ist mit den Griechen dann sogar Europameister geworden. Wie er das gemacht hat, weiß bis heute keiner so genau, wahrscheinlich nicht mal er selbst. Irgendwann aber war Otto Rehhagel sogar den Griechen zu alt und unmodern. Deshalb ging er dann nach Berlin und trainierte Hertha BSC.

Der durchschnittliche Grieche steht jeden Morgen ganz früh auf, trinkt einen halben Liter Ziegenmilch und fährt später raus auf seine Inseln, nach den Olivenbäumen gucken. Unterwegs kämpft er mit der Hydra, lauscht dem Gesang der Sirenen oder dichtet neben seinen Odysseen unsterbliche Verse wie «Unter den Königen ist der Einäugige Zyklop». Wenn der Grieche ein Gott ist, schlüpft er gerne in Menschen- oder Tiergestalt und zeugt bei guter Laune Halbgötter. Zum Abendbrot bringt er weiße Rosen aus Athen mit, trinkt viel griechischen Wein und hebt sich sein Essen vom Gyroskonto ab. Wenn der Grieche ein Philosoph ist, wohnt er häufig im Fass. Griechische Frauen sind entweder sehr zupackend wie die Amazonen oder die Kriegerprinzessin Xena, oder aber sie sind wenig zuversichtlich, wie Kassandra. Doch beim gemeinsamen nächtlichen Sirtaki sind dann alle gleich und die Sorgen vergessen. «Noch ist nicht aller Tage Hades», sagt sich der Grieche und blickt verträumt in die leere Büchse der Pandora.

WIRTSCHAFT

Die wichtigsten Exportartikel der Griechen sind Philosophen und die Olympiade. Leider sind das neben Olivenöl auch so ziemlich ihre einzigen Exportartikel, woraus sich aktuell einige Probleme ergeben. Wirtschaftlich geht es den Griechen zurzeit sehr, sehr schlecht. Viele meinen, daran wären sie selber schuld, weil sie so faul und unfähig seien.

Würde man dieser Logik folgen, müsste man allerdings auch sagen, die Berliner sind selber schuld: am halbfertigen Flughafen, an der kaputten, nicht fahrenden S-Bahn im Winter oder an den enormen Schulden der Stadt. Wenn man mir wegen dieser Probleme Berlins jetzt das Gehalt halbieren, die Steuern verdoppeln und den Urlaub streichen würde, wäre ich möglicherweise auch sauer. Also, könnte ich mir zumindest vorstellen. Selbst wenn man mir erklären würde, dies müsse passieren, weil sonst die internationalen Finanzmärkte unruhig werden könnten, wäre ich wohl trotzdem immer noch irgendwie unzufrieden. Glaube ich.

GESCHICHTE

Das berühmteste Bauwerk der Griechen ist die Akropolis. Die ist, so wie manches in Griechenland, zwar tatsächlich schön und beeindruckend, aber eben nicht so richtig alltagstauglich. Der Satz «Es regnet durch» wäre bei der Akropolis noch eine charmante Untertreibung. Und das schon seit Jahrhunderten.

Vor über zweitausend Jahren hat der Grieche Europa mehr oder weniger erfunden, weshalb er natürlich auch quasi die Patentrechte daran hat. Nun würde ich nicht so weit gehen, zu behaupten: Wer etwas erfindet, darf es auch wieder kaputt machen. Aber im Rahmen der aktuellen Urheberrechtsdiskussion sollte man vielleicht schon einmal darüber nachdenken, ob es nicht irgendwie logisch ist, dass das restliche Europa für dieses Patent gerade ein paar Tantiemen an die Griechen zahlen muss.

Grundsätzlich bleibt festzuhalten: Wohl kein WM-Teilnehmer hat mehr berühmte Geschichte als die Griechen. Und sie wissen diese Geschichte auch gekonnt einzusetzen. Falls also eine der teilnehmenden Mannschaften irgendwann während des Spiels plötzlich ein riesiges Holzpferd auf Höhe der Mittellinie entdeckt: auf keinen Fall in den eigenen Strafraum ziehen! Es könnte Brad Pitt oder Otto Rehhagel drin sitzen.

HOLLAND

ALLGEMEINES

Der Holländer hat mit 41528 Quadratkilometern das drittkleinste Land bei der WM. Dabei ist ein gutes Stück von diesem Land auch noch vom Meer geliehen. Der Holländer hat keine Berge, deshalb gibt es keine Propheten in Holland. Und da es dort keine Propheten gibt, werden wahrscheinlich niemals Berge hinkommen. Ein echter Teufelskreis. Freunde dürfen Niederländer zum Holländer sagen. Oder andersrum.

Der Holländer wohnt in kleinen, schmalen Häusern aus rotem Backstein. Diese Häuser sind so schmal, dass sogar der Briefkastenschlitz senkrecht ist. Der Holländer hat in seinen Fenstern nie Vorhänge, weil er selbst ja auch nicht erleben möchte, dass er bei den anderen Häusern nicht überall reingucken kann. In den Niederlanden geht es immer sehr freizügig und liberal zu. Zumindest sieht das der Holländer so, also, noch. Kürzlich erst hat der Holländer nämlich den Verkauf von Haschisch an Ausländer in seinen Coffeeshops verboten. Na wunderbar, aber muss er selber wissen. Da kann er seinen ganzen Scheiß demnächst selber rauchen. Dann wird das kleine Land aber ganz schön bekifft sein. Vielleicht verbieten wir denen demnächst auch

Ist der Holländer im Fern-sehen, freut sich der Deutsche. Rudi Carrell gilt übrigens in Deutschland als Holländer und in Holland als Deutscher.

mal was, was sie hier gerne benutzen. Autobahnraststätten zum Beispiel, und speziell die Toiletten. Da werden die Holländer aber gucken. Wenn die dann vor der geschlosse-nen Toilette stehen, fragen die sich bestimmt: War das die Sache mit dem Haschisch jetzt wert? Obwohl, dann fahren sie womöglich noch seltsamer über die deutschen Auto-bahnen. In Niedersachsen gibt es die Redewendung: «Der fährt wie ein Holländer.» Das bedeutet so viel wie: «Der kocht wie ein Engländer.» Oder: «Der baut Flughäfen wie ein Berliner.» Wobei, apropos Auto, ich kenne sehr viele Holländer, und kein einziger hat einen Wohnwagen.

Die Holländer sind hervorragende Kaufleute. Da sie, wie bereits erwähnt, keine Vorhänge mögen, haben sie das Glashaus erfunden. Als sie dann aber wegen der Hitze darin keine Mieter gefunden haben, bauten sie dort einfach Gemüse an, und schwupp waren sie reich. Der Holländer hat viele wichtige Erfindungen gemacht. Trinkpudding aus dem Tetrapak, Erdnussbutter mit Stückchen oder Tomaten ohne Geschmack, um nur mal die zu nennen, die mir als erste einfallen. Mit seinen Tulpenzwiebeln hat er im 17. Jahrhundert sogar die Spekulationsblase und die Finanzkrise erfunden.

Der wichtigste Industriezweig in Holland ist heute die Showmaster- und -masterinnenproduktion. Showmaster werden in Holland ausschließlich für den Export hergestellt, vornehmlich für den deutschen Markt. Sie sind beliebt wegen ihrer hohen Lebensdauer und ihrer lustigen Art zu sprechen. In geheimen, streng bewachten Ausbildungslagern in der holländischen Tiefebene werden sie auf unvollständige Sätze und Quäklaute gedrillt, bis sie vergessen haben, dass sie eigentlich perfekt Hochdeutsch sprechen können.

Sprachgeschichtlich gesehen redet der Holländer eine Art Plattdeutsch. Das sollte man ihm so aber lieber nicht sagen, und wenn, dann zumindest nicht auf Hochdeutsch.

Früher war auch der Holländer natürlich eine Zeitlang eine Weltmacht, aber mein Gott, wer war das nicht schon mal. Frag mal die Griechen, die Italiener oder Spanier.

Jeden Morgen wird der Holländer von einem großen Laib Goudakäse geweckt, den er so lange durch sein Bett rollt, bis sich Frau Antje die blonden Zöpfe geflochten hat und ihn, den Holländer, an den Frühstückstisch holt. Wobei, Frühstückstisch ist relativ. Tatsächlich wird er auf einen großen Stuhl gesetzt, und dann fahren am laufenden Band die Frühstücksutensilien an ihm vorbei. Alles, was er sich merken kann, darf er später essen. Unbedingt sollte er allerdings das Fragezeichen nehmen, denn dahinter verbirgt sich meistens die Erdnussbutter, manchmal auch eine Weltreise oder zumindest eine schöne Rundfahrt durch seine Grachten. Die Holländer sind allzeit sehr reisefreudig. Und wenn sie nicht so häufig selbst mit dem Auto fahren würden, wären sie auch überall willkommen. Denn mit Holländern ist es immer lustig. Stets haben sie Genever und Eierlikör dabei und singen spaßige Lieder von Hermann van Veen.

Nach dem Frühstück schlüpft der Niederländer in seine Holzschuhe, setzt sich auf sein Hollandrad und fährt ganz langsam und vorsichtig den Deich entlang. Einerseits, um dem Meer gegenüber Präsenz zu zeigen, andererseits weil: Wenn er es eilig hätte, bräuchte er einfach ein ganz anderes Rad und ganz andere Schuhe. Nachdem er kurz im Kontor war, um eine neue Bestellung Wind für seine Windmühlen aufzugeben, zieht er sich zum Mittagessen schnell eine Fleischkrokette aus dem Automaten, die er aber nur probiert, um festzustellen, dass sie so widerlich wie immer schmeckt und er sie guten Gewissens liegenlassen kann.

Auf diese Art und Weise schützt er sich vor einer Rubens-figur und erhält sich den Appetit für die Pommes mit Oorlog am Abend. Danach muss er auch schon zur Nachtwache, wo er allerdings nicht viel zu tun hat und nebenher einen Mann mit Goldhelm malen kann. Oder er bindet einen bunten Strauß aus seinen wunderbaren holländischen Schnitt-blumen. Vielleicht nimmt er auch einfach zwölf Sonnen-blumen, tut sie in eine Vase und denkt sich, während er sie betrachtet: «Van Gogh noch mal! Es ist doch wirklich zum Ohrenabschneiden, dass unsere Fußballer einfach nie kein Weltmeister nicht werden.» Irgendwann rollt dann auch in Holland der große Käse vor die Sonne, und im mittelalten, gut gereiften orangen Mondenschein sagen sich Döntches und Böntches gute Nacht. Jaja, so schön ist Holland.

FUSSBALL

Der Holländer glaubt immer, er würde den besten Fuß-ball von allen spielen. Natürlich, genau wie er auch glaubt, das mit dem steigenden Meeresspiegel, das wird schon so schlimm nicht werden, das werden seine Deiche schon aushalten. Der Holländer musste sich schon oft wundern.

Der Deutsche fährt eigentlich ganz gern ohne den Hol-länder zur WM. Diesmal aber sind beide dabei. Allerdings auch in schweren Gruppen. Sollten beide in der Vorrunde rausfliegen, wäre ihre einzige Chance auf einen richtig fröhlichen Empfang nach dem Heimflug wohl, wenn sie versehentlich jeweils im Land des anderen landen würden.

ALLGEMEINES

Portugal ist erstaunlich groß, 92089 Quadratkilometer immerhin, eine ziemliche Fläche, die man dem Land gar nicht so ohne weiteres zugetraut hätte. Das kommt daher, dass es neben Spanien liegt, das ja riesengroß ist. Da sieht man natürlich klein aus. Belgien ist beispielsweise nicht einmal halb so groß wie Portugal, wirkt aber viel größer, weil es neben Luxemburg liegt.

Zudem wird bei Portugal gerne übersehen, dass noch zwei bedeutsame Inseln zum Staate gehören. Madeira, ohne dessen Wein einige portugiesische Lieder keinen Refrain und viele Kochbücher der achtziger Jahre weitaus weniger exotischen Pfiff hätten, sowie natürlich die Azoren, auf denen ja quasi das Wetter für ganz Europa zubereitet wird.

GESCHICHTE

Die Römer nannten Portugal Lusitania und hatten größten Respekt vor seinen Kämpfern, wie man aus der Geschichte der Punischen Kriege weiß, wo die Lusitaner als Söldner aufseiten der Karthager kämpften. Eigentlich war das damals schon genauso wie heute im Fußball: Die Lusitaner spielten groß auf und erarbeiteten sich unzählige Chancen, die sie aber alle nicht nutzen konnten, bis die Römer (also Italien) eiskalt zuschlugen und die Begegnung für sich entschieden.

Da Portugal bemerkenswert gebirgig ist und man allein schon in Lissabon, das auf sieben Hügeln erbaut ist, ganz schöne Höhenunterschiede zu bewältigen hat, fiel den Portugiesen die Entscheidung, öfter mal zur See zu fahren, leicht. Denn Wasser hat bekanntlich keine Treppen. Vasco da Gama entdeckte den richtigen Seeweg nach Indien, was ihn komischerweise aber nur halb so berühmt machte wie Kolumbus, obwohl der sein Ziel, wie schon gesagt, ja nie erreichte. Aber die Welt liebt nun mal den Irrtum. Etwas später fanden die Portugiesen immerhin als Erste das heutige Brasilien und ließen gleich ihre Sprache da, was sehr vorausschauend war, weil es ihnen jetzt bei der Weltmeisterschaft zumindest rein sprachtechnisch einen kleinen Heimvorteil verschafft.

Den Weg zur Demokratie ebnete in Portugal die sogenannte Nelkenrevolution. Eine fast vollkommen unblutige Revolution, die zu ihrem Namen kam, weil die Bevölkerung den Soldaten rote Nelken in die Gewehrläufe steckte. Das war so unkonventionell und sympathisch, wie die Portugiesen fast immer sind. Wenn sie beispielsweise richtig schlimmen Streit mit jemandem haben, prügeln sie sich nicht etwa mit dem oder schlitzen ihm die Reifen auf oder schmeißen Fensterscheiben ein. Nein, sie werfen ihrem Feind einfach Brotstücke auf den Balkon und vor die

Fenster, um die Tauben anzulocken, die dem dann so richtig alles vollkacken.

TAGESABLAUF

Der durchschnittliche Portugiese beginnt seinen Tag mit einer schönen Tasse Galão und Puddingtörtchen aus Belém. Dann setzt er sich in ein Café und bespricht ausgiebig, was er alles hätte machen können, wenn er sich nicht in dieses Café gesetzt hätte, um zu besprechen, was alles möglich und machbar gewesen wäre, wäre es nicht anders gekommen, aber das sei ja nun nicht mehr zu ändern. Darüber wird er dann oft auf wunderbarste Weise melancholisch, was man seinem Fado, speziell im portugiesischen April, auch anhört. Da singt er Lieder von Sehnsucht, der Saudade, Fernweh und schmerzhafter Liebe, bis er von einem gutgekühlten Kirschlikör aufgemuntert wird.

Ist der Portugiese eine Frau, ist sie zumeist stolz und wunderschön und fährt eine der kleinen, rappelnden Straßenbahnen rasant durch die engen und steilen Gassen Lissabons. Am Abend sitzen alle zusammen auf einer der vielen Plattformen und genießen bei Bacalhau und Portwein die atemberaubende Aussicht, oder sie versinken zum gegrillten Fisch in einem schweren Blauen Portugieser, bis ein postkartenschreibender deutscher Tourist den letzten Wortwitz über Porto macht.

Leider muss ich bei Portugal auch immer daran denken, wie einmal ein dummer achtzehnjähriger niedersächsischer Junge mit einem alten, klapprigen R4 da hinfahren wollte und dann eine Woche lang in einer Kfz-Werkstatt in den spanischen Bergen festhing. Und sich, als er endlich in Portugal ankam, gleich am zweiten Tag eine leichte Fischvergiftung zuzog, woraufhin er eine Woche über einer portugiesischen Kloschüssel festhing. Und wer jetzt sagt, dieser dumme niedersächsische Junge soll doch mal endlich über diese traumatischen Urlaubserinnerungen hinwegkommen, das war schon im Kapitel über Spanien uninteressant, und jetzt fängt es langsam richtig an zu nerven, wer also so was sagt, der hat sicher noch nie eine Woche in Portugal über einer Kloschüssel gehangen. Das ist nämlich *wirklich* nervig.

FUSSBALL

Die Portugiesen hatten schon immer sehr gute Fußballer. Eusébio, Figo und aktuell den besten Fußballer der Welt, Cristiano Ronaldo. Viele Männer finden Cristiano Ronaldo ja ein bisschen affig. Wäre ich Cristiano Ronaldo, wäre mir das allerdings so was von egal. Wenn ich so Fußball spielen könnte, einen dermaßen durchtrainierten Körper hätte und solche Verträge bekäme, dann ... na dann ... weiß auch nicht.

Diese Vorstellung ist so weit weg von meiner Lebenswirklichkeit, dass ich Cristiano Ronaldo der Einfachheit halber jetzt doch auch lieber ein bisschen affig finde.

Obwohl die Portugiesen also immer hervorragende Fußballer hatten, haben sie noch nie so richtig was gewonnen. Weil sie diesmal der Auftaktgegner der deutschen Mannschaft sind, möchte man ja eigentlich hoffen, dass das auch so bleibt, obwohl ich es ihnen grundsätzlich mal von Herzen gönnen würde.

ALLGEMEINES

Kroatien ist ziemlich klein und schmal. Vier Millionen Kroaten leben auf einer Fläche, die nur wenig größer als Niedersachsen ist. Auf diesem Gebiet allerdings bringen die Kroaten unter: die Dinarische Gebirgsregion, die Pannonische Tiefebene und ein gewaltiges Stück Adriaküste. Das entspricht in Niedersachsen dem Harz, der Lüneburger Heide und Ostfriesland sowie einem ordentlichen Stück Nordseeküste. Ist also praktisch das Gleiche, nur etwas norddeutscher. Daran kann man eigentlich ganz schön beobachten, wie sich aus doch mehr oder weniger sehr ähnlichen landschaftlichen Voraussetzungen zwei mental ziemlich unterschiedliche Völker herausbilden können. Die Kroaten gelten allgemein als heißblütig, impulsiv, voller Leidenschaft und Feuer. Die Niedersachsen hingegen ... nun ja, ihr Temperament wird eher selten als überschäumend oder feurig beschrieben. Temperamentvoll nennt man einen Niedersachsen, wenn er beim Bestücken der Käseigelspieße Räucheraal und Ananas hintereinander steckt. Da ist der Kroate dann doch ein anderes Kaliber. Der versteht es, den Grill anzuheizen für Spieße so scharf und feurig, dass die Köpfe glühen, das Blut kocht und die Nervenenden brennen, angefangen bei den Geschmacksknospen, von wo die leidenschaftliche Hitze durch den ganzen Körper züngelt, in jeden Winkel von Magen und Darm, bis sie schließlich am nächsten Morgen zum gewaltigen Schlussakkord ansetzt. Denn wenn es bei all den Weisheiten über scharfes Essen eine gibt, die wirklich unumstritten ist, dann wohl: «Es brennt immer zweimal, Gringo!»

POLITIK UND GESCHICHTE

Tatsächlich ist Kroatien eines der schönsten Länder Europas. Langsam sieht man das auch wieder. Orte wie die Blaue Grotte von Biševo, den Nationalpark Plitvicer Seen und die Altstadt von Dubrovnik gibt es in Niedersachsen nicht – obwohl man den Vogelpark Walsrode, den Dümmer See und die Altstädte von Goslar und Hildesheim nicht unterschätzen sollte.

Weil Herr Genscher sehr früh, nämlich 1991, quasi als Erster, die Unabhängigkeit Kroatiens und Sloweniens anerkannte, zerfiel Jugoslawien im sogenannten Balkankrieg. Wegen dieses Krieges wurde es 1992 von der EM ausgeschlossen – auf internationalen Druck hin, speziell auch aus Deutschland. Der überraschte Ersatzstarter Dänemark spielte dann erstaunlich frei auf und konnte im Finale auch Deutschland quasi wegputzen. Ein paar Jahre später, bei der WM 1998, war das nun unabhängige junge Kroatien mit dabei und warf Deutschland ganz unabhängig und frei mit 3:0 aus dem Turnier. Auch wegen dieser Erfahrungen hält man sich bei uns mittlerweile mit politischen Sanktionsforderungen vor Sportveranstaltungen zurück.

Die Kroaten gelten als Erfinder der Krawatte. Kroatische Soldaten sollen im 17. Jahrhundert ein fransenartiges Stück Stoff um den Hals getragen haben. Nach einem Besuch am französischen Hof hat sich dann wohl aus der französischen Bezeichnung für Kroate, «croate», irgendwie das Wort «cravate» und auf Deutsch Krawatte herausgebildet. Ähnlich, wie ja auch aus der Aufforderung französischer Soldaten «Visitez ma tente» («Besuchen Sie mal mein Zelt») auf Deutsch «Mach mal keine Fisimatenten» wurde. Das hätte den Kroaten wohl keiner zugetraut, dass ausgerechnet sie das Symbol für Bürokratie, Formelles und Steifheit schlechthin erfunden haben. Und so sind sie ja wirklich auch gar nicht. Wobei, wahrhaft gefürchtet ist ja zu Recht mehr die «Krawatte im Kopf», weniger die am Hals.

2008, bei der EM in der Schweiz und Österreich, lieferten sich Kroaten und Türken in Berlin übrigens einen beeindruckenden Wettstreit, wer von beiden den größeren und lauteren Autokorso zustande bringen kann. Der sehr nette kroatische Betreiber der Autowerkstatt in unserer Straße hat mich seinerzeit gebeten, in einem von ihm geliehenen Wagen laut hupend im kroatischen Korso mitzufahren, um den der Türken am Vortag zu schlagen. Am Ende stand es zwischen beiden Korsos «ohrenbetäubend» zu «nervenzerreißend», also quasi unentschieden.

Da die Türkei diesmal nicht dabei ist, sind die Kroaten bei der WM in dieser Beziehung wohl konkurrenzlos.

Der durchschnittliche Kroate steht im Laufe des Vormittags auf und macht sich erst mal ein leckeres Čevapčići mit gefüllter Paprika und türkischem Kaffee. Früher hat er danach im Bergbau gearbeitet, aber mittlerweile sind alle Berge fertiggebaut, weshalb er lieber raus zu seinen vielen Inseln surft oder taucht oder segelt, um zu gucken, ob das stets gute Wetter auch genauso gut wie immer ist, und dann einen türkischen Kaffee zu trinken. Am Nachmittag, nach einer kurzen Kaffeepause, zieht er sich Indianer- und Cowboysachen an und verfilmt Karl-May-Bücher. In meiner Jugend waren die berühmtesten Kroaten eigentlich Winnetou und Old Shatterhand, und bis heute nennt man Kroatien in Norddeutschland daher auch oft das Bad Segeberg des Balkans. Während er also auf dem Rücken eines Pferdes kaffeeschlürfend durch Dalmatien fliegt, sinniert der Kroate gerne, auf welche Pferde oder Fußballspiele er wetten könnte, weil er nämlich jemanden kennt, der jemanden kennt, der von einem gehört hat, der weiß, wo dem Schiedsrichter sein Haus wohnt, und mit dem er auch schon mal Kaffee trinken war. Schließlich aber reitet er in den Sonnenuntergang an der Adria, mit Silberbüchse und Henrystutzen und offenen Augen für jedes wärmende Lagerfeuer. Denn wo Lagerfeuer ist, da ist ein guter, frischer Kaffee niemals weit.

Schauspieler bei den Karl-May-Festspielen brauchen sehr gutes Heilfleisch an den Unterarmen.

FUSSBALL

Niko Kovač ist wohl der erste gebürtige Weddinger, der es als Trainer zu einer Fußball-WM geschafft hat. Schon allein das wird Kroatien in Berlin hoch angerechnet.

Nach dem sensationellen Sieg bei der WM 1998 gegen Deutschland besuchte wohl Helmut Kohl die kroatische Mannschaft nach dem Spiel spontan in der Kabine und stellte dort seinen Glückwunsch ab.

Das nehmen die Kroaten den Deutschen bis heute ein wenig übel. Und es heißt, die Kroaten hätten auch ein bisschen Angst davor, wieder auf Deutschland zu treffen, weil im Falle eines erneuten Sieges Angela Merkel sie dann hinterher womöglich in der Kabine besuchen könnte. So wichtig wäre den Kroaten der Sieg dann auch wieder nicht. Also vielleicht. Allerdings könnte das bei dieser WM erst im Halbfinale passieren, und wenn die kroatische Mannschaft so weit käme, hören und sehen wir in Deutschland vor lauter kroatischem Autokorso sowieso schon nichts mehr.

ALLGEMEINES

Belgien ist mit gerade mal 30 528 Quadratkilometern Fläche das kleinste Teilnehmerland dieser Weltmeisterschaft. Aber selbst bei dieser geringen Größe schaffen die Belgier es noch, ihr Land quasi zweizuteilen: Den Streit zwischen Flamen und Wallonen gibt es schon, solange es Flamen und Wallonen gibt. Ein flämisch-belgischer Freund kommentierte dies mit: «Die Franzosen wissen schon, warum sie die Wallonen nicht wollen. Wir dagegen sind einfach viel zu gutmütig.» Als ich im flämischen Teil einmal versehentlich auf Französisch nach dem Weg gefragt habe, wurde ich nach Minuten eisigen Schweigens schließlich missmutig und auf Englisch eine Straße entlanggeschickt, die praktisch direkt in die Nordsee führte. Der flämische Freund meinte, als ich ihm dies erzählte, da sei ich noch richtig gut weggekommen. Hätte ich im wallonischen Teil auf Flämisch gefragt, hätte man mich wohl direkt an die Schweine verfüttert. Vielleicht liegen diese Streitereien tatsächlich daran, dass das Land so klein und dicht besiedelt ist. Eine größere Wohnung, in der man sich nicht so auf den Füßen stünde, wäre hier sicherlich von Vorteil, aber die Zeiten, wo die Belgier sich Zweitwohnsitze in Afrika (zum Bei-

spiel in Belgisch-Kongo) leisteten, sind schon lange vorbei.
Wie so häufig in WGs geht es auch zwischen Flamen und
Wallonen letzten Endes eigentlich nur ums Geld. Aktuell
hat der Flame einfach viel mehr davon und denkt, der Wallone sei faul, würde nie den Abwasch und sich stattdessen
auf seine Kosten ein schönes Leben machen. Der Wallone
hingegen ist genervt vom Flamen, weil der immer nur an
ihm rummeckert und alles besser weiß. Das Übliche eben.
Da der Hauptmietvertrag für Belgien aber auf beider Namen läuft, haben sie sich bislang doch noch immer wieder
zusammengerauft.

DAS PECH DES BELGIERS

Den Belgiern wird wirklich oft unrecht getan. Ihre wichtigste Erfindung, die Pommes, wird gern den Holländern zugeschlagen. Ihren berühmtesten Gesangskünstler,
Jacques Brel, halten die meisten für einen Franzosen. So
geht es den Belgiern ständig. Wer weiß schon, dass Lucky
Luke, genau wie viele andere sehr bekannte Comicstars, aus
Belgien kommt? In beiden Weltkriegen sind die Deutschen
trotz belgischer Neutralität einfach durch das Land mar-
schiert, um schneller in Frankreich zu sein. Wo sie dann
aber schon mal in Belgien waren, haben sie dort natürlich
auch gleich ihre brutale Willkürherrschaft durchgezogen,
wie überall. Und als die Belgier schließlich dachten, jetzt
hätten sie endlich mal Glück gehabt und würden belohnt
für die jahrzehntelangen Ungerechtigkeiten, als nämlich
ihr Brüssel auserkoren wurde als Sitz des EU-Parlaments

und des Ministerrates, wurde ihnen schnell klar, dass ihre Hauptstadt damit nun zum europaweiten Symbol für Bürokratie, absurde Richtlinien und knallharte Lobbyarbeit geworden war. In ganz Europa wird heute mit viel Furor «auf Brüssel» geschimpft, was die Belgier nun wirklich nicht verdient haben.

TAGESABLAUF

Der durchschnittliche Belgier springt jeden Morgen aus seinem mit feinster Brüsseler Spitze bezogenen Bett und macht sich erst mal eine seiner sechzigtausend verschiedenen Biersorten warm, zum Beispiel ein schönes Earl-Grey- oder auch ein einfaches Früchte-Bier. Dazu frittiert er sich Toast mit Marmelade, ehe er schnell den Garten des Nachbarn umgräbt und hofft, dabei nichts zu finden. Danach schlüpft er in sein gelbes Eddy-Merckx-Trikot und fährt nach Lüttich–Bastogne–Lüttich, größtenteils über Kopfsteinpflaster. Wenn es ihm zu anstrengend wird, gönnt er sich auch mal eine kleine Rast, die er nutzt, um englischen Weltkriegstouristen in den Ardennen seine weltberühmten Pralinen zu verkaufen. Am Nachmittag schippert er mit Käpt'n Haddock auf den Kanälen von Brügge, seinem Venedig des Nordens, bis Käpt'n Haddock, «Beim Klabautermann und hunderttausend Höllenhunden» fluchend, losmuss, um Tim, Struppi, Lucky Luke, Jolly Jumper, Gaston, Spirou und Fantasio an der Uni zu treffen, wo sie alle zusammen blaues Schlumpfeis essen, bis sie gelb wie das Marsupilami werden.

In einem amerikanischen Europa-Reiseführer fand ich dieses Bild, nur versehen mit der Unterschrift: «Belgium». Ich finde, das wird dem Land nicht gerecht.

Wenn es dunkel wird, knipst der Belgier das Licht auf seinen Autobahnen an, poliert das Atomium und gibt Manneken Pis den Rest von seinem warmen Bier, um alles am Laufen zu halten. Er selbst frittiert sich noch mal ein paar belgische Waffeln mit Pommes und ermahnt seine Flamen und Wallonen: «Wenn jetzt nicht mal endlich Ruhe ist, hol ich den Jean-Claude Van Damme, und dann gibt's was!»

Zwölf Jahre ist es her, dass die Belgier bei einer Fußballweltmeisterschaft dabei waren. Dieses Mal haben sie plötzlich eine Mannschaft, die viele Experten zum Geheimfavoriten erklären. Tatsächlich sind die «Rode Duivels» (so nennen sie die Flamen) beziehungsweise «Diables Rouges» (Wallonen), also die roten Teufel, ziemlich hoch einzuschätzen. Sollte Deutschland die Vorrunde überstehen, könnten sie der Achtelfinalgegner werden. Das möchte man sich eigentlich nicht wünschen. Aber selbst wenn sie Weltmeister werden sollten, käme es bei dem nie endenden Pech der Belgier wahrscheinlich so, dass am Ende alle denken würden, Holland oder Frankreich hätte den Titel gewonnen. Das könnte sich höchstens ändern, wenn ein Belgier einen großartigen Comicband über die WM veröffentlicht.

ALLGEMEINES

Bosnien und Herzegowina ist das Teilnehmerland mit den meisten Buchstaben im Namen. Auch weltweit liegt Bosnien und Herzegowina ganz weit vorn in der Liste der Staaten mit langem Namen. Die beiden Länder mit dem längsten Namen sind übrigens «St. Vincent und die Grenadinen» sowie die «Vereinigten Arabischen Emirate» (wenn man den Zusatz «Demokratische Volksrepublik» beim Kongo weglässt). Es fällt auf, dass gerade eher kleine Länder häufig lange Namen haben. Ob die damit irgendetwas kompensieren wollen, weiß ich allerdings nicht.

Nach meinen bisherigen Erfahrungen sind die Bosnier sehr freundliche und eher unauffällige Leute. Dass die Familie Koslevic in unserem Nachbarhaus aus Bosnien kommt, haben wir erst gemerkt, als sich ihre Nationalmannschaft für die WM qualifiziert hat. Dann allerdings gab es zwei Tage lang kein Halten mehr. Mittlerweile habe ich von ihnen gelernt, dass Bosnier dafür berühmt sind, lange und ausdauernd feiern zu können. Sowohl für Neujahr (1./2. Januar) als auch für den Tag der Arbeit (1./2. Mai) gibt es in Bosnien zwei gesetzliche Feiertage. Sollte die

bosnische Nationalmannschaft in Brasilien den Weltmeistertitel erringen, werden zwei Feiertage wohl kaum aus-
reichen.

WIRTSCHAFT

Wer sich in Deutschland immer noch nach der guten alten
D-Mark zurücksehnt, dem sei ein Urlaub in Bosnien-Herzegowina empfohlen. Dort ist die D-Mark nach wie vor
offizielles Zahlungsmittel. Allerdings heißt sie Konver-
tible Mark und hat einen festen Umtauschkurs zum Euro
(1:1,955, genau wie die alte D-Mark). Ihr Land haben die
Bosnier nach dem Vorbild der Schweiz in Kantone auf-
geteilt. Überhaupt, so die Meinung von Herrn Koslevic,
könne man sich das gut für die Zukunft Bosniens vorstellen, so eine Mischung aus Deutschland und der Schweiz.
Darüber lachte seine Frau und sagte: «Nur vielleicht noch
ein bisschen sauberer.» Bosnier haben viel Humor. Ihr
Mann ergänzte, auch lachend: «Eigentlich gibt es diese
Mischung aus Deutschland und der Schweiz ja auch schon.
Nämlich Österreich.» Manchmal übertreiben es die Bosnier
mit ihrem Witz.

GESCHICHTE

Wer es bislang nicht wusste, wird es 2014, hundert Jahre
nach Ausbruch des Ersten Weltkriegs, noch häufig hören:
nämlich dass in Sarajevo, der Hauptstadt Bosniens, der

österreichisch-ungarische Thronfolger Franz Ferdinand erschossen wurde, was letztlich der Auslöser für den Weltkrieg war.

1984, siebzig Jahre nach Beginn des Ersten Weltkriegs, wollte man in ebendiesem Sarajevo mit der Ausrichtung der Olympischen Winterspiele ein Zeichen für Frieden und Völkerverständigung setzen. Acht Jahre später begann der Albtraum des Bosnienkrieges. Dass nicht einmal zwanzig Jahre nach der Belagerung von Sarajevo und dem Massaker von Srebrenica nun Bosnier, Kroaten und Serben wieder gemeinsam und leidlich friedlich in Bosnien-Herzegowina leben, ist wirklich bemerkenswert. Dennoch ist trotz aller Zuversicht und richtigen Schritte das Land nach wie vor sehr arm und hat gewaltige innere Probleme. In diesem Winter wurde in Berlin der Asylantrag einer bosnischen Roma-Familie abgelehnt. Das Besondere: Der Vater hat nur ein Jahr zuvor bei der Berlinale den Silbernen Bären als bester Schauspieler erhalten. Genützt hat es ihm nichts.

FUSSBALL

Die Qualifikation der bosnischen Nationalmannschaft gehört zum Erfreulichsten, was es in den letzten Jahren aus dem europäischen Nationalmannschaftsfußball zu vermelden gab. Gemeinsamer Jubel über Erfolge bei der Weltmeisterschaft täte Bosnien-Herzegowina sicher gut. Ihr Sturm mit Džeko und Ibišević gehört zum Besten, was es bei dieser WM gibt. Die Gruppe mit Argentinien, Nigeria und dem Iran ist auch keine, vor der Bosnien sich fürchten müsste. Und dann sollte man nicht vergessen: Auch wenn der bosnische Staat und damit seine Nationalmannschaft noch sehr jung sind – in Sachen Weltmeistertitel befindet sich Bosnien-Herzegowina schon jetzt auf Augenhöhe mit Holland.

FRANKREICH

ALLGEMEINES

Denkt man an Frankreich, denkt man an Ribéry, La Bastille, Thierry Henry, Carla Bruni, Mon Chéri, Amélie, Sarkozy, la vie jolie sowie Paris.

Welcher junge deutsche Mann hat in seiner Jugend nicht darüber nachgedacht, was man wohl tun müsste, um einmal die Chance zu ergattern, mit einer dieser unglaublichen französischen Schauspielerinnen, quasi dem Inbegriff allen Begehrenswertem, ein Rendezvous zu haben. Mittlerweile weiß man es. Man hätte einfach nur französischer Präsident werden müssen. Wer hätte geahnt, dass das so einfach ist. Nun gut, hinterher ist man immer schlauer. Als im Winter die neueste Affäre des französischen Präsidenten mit einer Schauspielerin publik wurde, sagte meine französische Freundin Simone zu mir: «In solchen Momenten beneide ich euch wirklich um eure Madame Merkel.» Da kann ich sie verstehen. Bei allem, was man sicherlich mit großer Berechtigung gegen Frau Merkel sagen könnte: Für ihr komplett unspektakuläres Privat- und Sexualleben oder zumindest die völlige Geheimhaltung desselben genießt sie meine allerhöchste Wertschätzung.

Für die Band, in der ich als Jugendlicher Musik gemacht habe, habe ich sogar mal ein Lied über Frankreich geschrieben. Es hieß natürlich «Fronkreisch, Fronkreisch!», und verfasst habe ich es nach dem bewährten Prinzip: «Ich schreibe alles auf, was mir zu Frankreich einfällt, und was sich reimt, kommt ins Lied.» Der eher als Bewusstseinsstrom verfasste Text ging unter anderem so:

«Toulouse-Lautrec schmeckt Weinbergschneck
mit Sauce vinaigrette und Baguette,
dann une cigarette, Gauloises ou Gitanes,
und ab ins Bett mit Anette oder Claudette,
faire l'amour, toujours, bis ein Uhr,
l'amour, tous les jours,
et la jour prochaine again,
chercher la femme und dann
mit Madeleine an die Seine, aber denn
comme ci, comme ça, oh, là, là, na ja
na ja, na ja, oh, là, là, là, là, là …
Mir doch alles gleisch
Fronkreisch, Fronkreisch!»

Das Lied hatte noch rund zwanzig weitere Strophen, die leider alle verschollen sind. Vielleicht auch glücklicherweise. Ein Hit ist es übrigens nicht geworden.

Der Franzose hat außerordentlich viel Geschichte und jede Menge wichtige Erfindungen gemacht. Die wichtigste Erfindung des Franzosen war die Französische Revolution, aber wo hätte man die auch sonst erfinden sollen? Im Prinzip eskalierte die Situation damals, als man der Bevölkerung vorschlug, doch statt Brot Kuchen zu essen. Seitdem backen alle französischen Bäcker nur noch Brot aus Weißmehl, damit künftige Generationen froh sind, wenn sie mal was anderes als dieses Weißmehlzeugs bekommen. Weitere wichtige Erfindungen der Franzosen waren die Freiheit, die Gleichheit, die Brüderlichkeit, die Marseillaise und die Guillotine sowie Napoleon Bonaparte, der wiederum den Napoleon-Komplex erfunden hat. Zudem kommen jede Menge bedeutsame Philosophen aus Frankreich. Als kleine Auswahl seien genannt: Descartes (Ich denke, also bin ich), Montesquieu (Gewaltenteilung), Rousseau (Gesellschaftsvertrag), Sartre (Muss das denn alles sein?) und Louis de Funès (Innerer Diskurs: «Ah … oh … nein … doch … warum … ah … oh … was …? Ooooh … neeiiiinn!»).

BEVÖLKERUNG

Der Franzose ist der beste Liebhaber der Welt, behauptet er zumindest. Ob's wirklich stimmt, weiß ich nicht, und ganz ehrlich, ich möchte auch nicht derjenige sein, der das statistisch und praktisch überprüft.

In der Regel haben die Franzosen einen ausgewählten, erlesenen Geschmack:

«Haute cuisine, haute volée, haute couture,
c'est si bon und ab dafür.»

Bei allem muss es immer das Allerbeste sein. Eigentlich. Andererseits wählen sie so Leute wie Sarkozy und Hollande zu ihren Präsidenten. Na ja, müssen sie selber wissen.

Wenn der Franzose Schauspieler oder sonst irgendwie berühmt ist und zum Beispiel Gérard Depardieu heißt, liebt er zwar sein Land über alles, aber dann doch nicht so sehr, dass er dort auch Steuern zahlen möchte. Da wandert er lieber nach Belgien oder Russland aus und pinkelt im Flugzeug vielleicht noch schnell in den Gang.

TAGESABLAUF

Ehe der gallische Hahn dreimal kräht, ist der Franzose schon aus seinem viel zu schmalen Doppelbett gesprungen, hat sich unter jede Achsel ein Baguette geklemmt und trinkt seine erste Tasse Café au lait, die sitzend auf der Terrasse übrigens das Vierfache wie stehend am Tresen kostet. Dann zieht er sich das gelbe Trikot über und radelt die Champs-Élysées hinunter. Wenn er es eilig hat, nimmt er das grüne Trikot oder das gepunktete, falls er noch nach Alpe d'Huez muss oder den Mont Ventoux hoch. Das ist zwar ziemlich anstrengend, aber die Baguettes unter seinen Achseln schützen ihn vor Körpergeruch. Später hängt er das Trikot zum Auslüften in die Normandie, wo er bei der Gelegenheit schaut, ob nicht noch mal irgendwo irgendwelche Alliierten gelandet sind. Mittag gegessen wird im Elsass oder in Lothringen, oder man gönnt sich einen schönen Fisch in Marseille. Eigentlich ist es egal, wo der Franzose isst. Bei ihm schmeckt es überall, und sonst hat man ja immer noch den Wein, der selbst den exaltiertesten Speisen ihren Schrecken nimmt. Nachdem er dann das Kühlwasser in seinen Kernkraftwerken nachgefüllt und auf einen schnellen Atomtest in Muroroa vorbeigeschaut hat, muss er auch schon wieder nach Paris, um die Schrauben am Eiffelturm nachzuziehen. Dann jedoch setzt er seine Baskenmütze auf und flaniert entlang der Seine, chercher la femme, oder malt Monet hier, Manet da, ein paar Bilder, die er später in den Louvre bringt, wo die Mona Lisa das Ganze mit einem Lächeln erträgt, ehe er dem Glöckner von Notre-Dame den Buckel runterrutschen kann.

Am Abend schließlich legt der Franzose sich eine Édith-Piaf-Platte auf, während die Spatzen von Paris Gilbert-Bécaud-, Charles-Aznavour- und Serge-Gainsbourg-Chansons von den Dächern pfeifen, während er mit der Métro oder dem Fahrstuhl zum Schafott ins Cinéma Belmondo fährt, wo er vielleicht eine «Belle de Jour» findet oder, ganz AlaingDelong, im Moulin Rouge den Tag in Champagner ertränkt. Jaja, so in etwa lebt er, der Franzose, quasi wie Gott in ... Aber ich will hier mal lieber keine Klischees bemühen.

Frankreich ist die Grande Nation. Also mal grundsätzlich. Ihre Équipe Tricolore war zuletzt allerdings arg zerstritten und gar nicht sehr erfolgreich oder grande. Erst im allerletzten Relegationsrückspiel gegen die Ukraine wurde man zum Team. Ob das reicht, um die Blamage bei der letzten WM vergessen zu machen? Die Franzosen glauben nicht so richtig an ihre Spieler, die ihnen zu eigensinnig erscheinen.

Sie mögen Fußballer wie Thierry Henry, der bei der Relegation vor vier Jahren gegen Irland zeigte, dass das, was er macht, Hand und Fuß hat. Oder eben intelligente Spieler wie Platini oder den großen Zinédine Zidane, die auch mal ihren Kopf einzusetzen verstehen. Na ja, immerhin haben sie Ribéry. Der hat Humor. Wahrscheinlich wird er ihn brauchen.

ALLGEMEINES

Mit insgesamt vier offiziellen Landessprachen ist der Schweizer Europarekordler im Viele-Sprachen-Sprechen. Die Sprechsprache Deutsch, also Dütsch, unterteilt sich dabei natürlich noch mal in eine kaum zu schätzende Zahl von Untersprachen, nämlich Bärndütsch, Baseldütsch, Züridütsch, Bündnerdütsch, Walliserdütsch ...

Diese Sprache, nennen wir sie mal zusammengefasst Schwyzerdütsch, gehört zu den niedlichsten Sprachen der Welt. Viele Deutsche, lange Jahre auch ich, denken allerdings, sie wäre ganz einfach zu erlernen. Man spricht schlicht alle Vokale als Umlaute und hängt an jedes Wort die Silbe -li ran. Zack!, schon kann man Schwyzerdütsch: Öhrli, Näsli, Mündli, Wässerli, Bärli – all diese schönen Wörter entstehen ganz wie von selbst, und solange man nicht mit einem Schweizer spricht, kommt man damit auch sehr gut durch. Trifft man allerdings auf einen Schweizer, kann es sein, dass dem schnell ein «Sauschwoab» (Sauschwabe) entfleucht.

Die Schweizer haben ja tatsächlich für jedes Nachbarland ein extra Schmähwort. Neben den deutschen Sauschwaben nennt man die Franzosen «Wackes» und die

Italiener «Cinques» («Tschingg»). Nur für die Österreicher benötigt man in der Schweiz kein extra Schmähwort, denn mit «Österreicher» ist für den Schweizer eigentlich schon alles gesagt. Zudem gibt es noch ein paar andere Nationen, denen die Schweizer so zärtlich zugeneigt sind, dass sie ihnen Schmähwörter widmen, obwohl sie nicht einmal eine gemeinsame Grenze haben, zum Beispiel die Spanier, die sie «Spanjockel» rufen. Ein klassischer Spanjockel (Mischung aus Spanier und Gockel) wäre wohl etwa Cristiano Ronaldo, der aber leider Portugiese ist und daher nur bedingt als Beispiel taugt. Im Prinzip ist das Fürstentum Liechtenstein natürlich auch noch ein Nachbarland, aber bei den wenigen Liechtensteinern, die es gibt, lohnt sich für den Schweizer ein eigener Spitzname gar nicht richtig. Zudem fällt aufgrund der vielen Konten in Liechtenstein das gesamte Fürstentum aus Schweizer Sicht sowieso irgendwie mit unter das Bankgeheimnis. Man spricht nicht gern darüber.

Mehrfach habe ich übrigens in der Schweiz schon um eine andere Beschimpfung als ausgerechnet «Schwoab», also Schwabe, gebeten. «Fischkopp», «Lachsbrötchen» oder «Krautfresser» waren die Vorschläge, die ich den Schweizern gemacht habe, aber nichts da: Was ihre ureigensten, nationalitätsstiftenden Gebräuche angeht, lassen die alpenländischen Tüpflischisser einfach nicht mit sich reden.

Die Schweiz unterteilt sich in insgesamt sechsundzwanzig Kantone. Der kleinste (Appenzell-Innerrhoden) hat übrigens weniger Einwohner als die Hausnummern 107 bis 143 der Landsberger Allee in Berlin-Lichtenberg, dennoch aber volles Stimmrecht in der Schweizer Bundesversammlung. Die chinesische Stadt Kanton hat dagegen mehr Einwohner als die gesamte Schweiz, aber keine Stimme in der Bundesversammlung. Verständlicherweise.

Die Schweizer sind meines Wissens das einzige Volk der Welt, das sich offiziell als Willensnation (im Sinne von Jean-Jacques Rousseau) begreift. Also als eine Nation, die nicht um eine gemeinsame Sprache herum oder durch historische Ereignisse wie Kriege gewachsen ist, sondern die sich aufgrund gemeinsamer Werte und Rechtsvorstellungen zusammengeschlossen hat. Das ist ein interessantes Prinzip. Ob sich etwa Preußen und Bayern, Schwaben und Berliner oder Leute links des Rheins und Leute rechts des Rheins unter anderen Umständen auch freiwillig zusammengeschlossen hätten, um in einer gemeinsamen Nation zusammenzuwohnen, ist eine Frage, die man wohl lieber gar nicht erst stellt.

Die Schweizer sind ausgezeichnete Kaufleute. Während überall sonst auf der Welt beispielsweise die Musikindustrie stöhnt und darunter leidet, dass keine CDs mehr gekauft werden, sind CDs aus der Schweiz heute begehrter denn je und erzielen Höchstpreise.

Der wichtigste Industriezweig der Schweiz ist natürlich das Bankgeheimnis. Alle Bänke in der Schweiz sind ganz geheim, keiner verrät, wo sie sind, deshalb kann man sich nie hinsetzen und ausruhen, sondern muss immer rumlaufen und arbeiten. Durch ebendieses Bankgeheimnis also ist der Schweizer so wohlhabend. Falls er doch mal zufällig eine Bank findet, muss er einen Eid schwören, dass er niemandem verrät, wo sie ist, daher eben auch Eidgenossen.

GESCHICHTE

Das vermutlich bekannteste völkerkundliche Standardwerk über die Natur und den Alltag des Schweizers wurde 1970 von Goscinny und Uderzo vorgelegt und heißt in der deutschen Übersetzung «Asterix bei den Schweizern». Sogar Schweizer, die diesen Band einmal gelesen haben, können kaum noch Käsefondue essen, ohne nach Stockhieben zu verlangen, sobald sie das Brotstück im Kessel beziehungsweise im Caquelon verloren haben. Der wohl berühmteste Schweizer wurde Wilhelm Tell, besonders, nachdem der Deutsche Friedrich Schiller mal ein Stück über ihn geschrieben hat.

TAGESABLAUF

Der durchschnittliche Schweizer steht extrem früh auf. Oft sogar schon am Abend des Vortages. Diejenigen, die etwas länger schlafen können, streifen dann in der Früh' durch die Berge und suchen im dichten weißen Nebel nach

Kühen mit fast weißem Fell, denen sie deshalb Glocken umhängen. Allem, was sie nicht verlieren wollen, hängen die Schweizer Glocken um. Nach dem Melken machen sie aus der frischen Alpenmilch feinste Schokolade und besten Käse. Aus dem Rest der Kuh machen sie Bündnerfleisch. Jetzt frühstückt der Schweizer erst mal ausgiebig, und danach schnallt er sich seine Skier an und wedelt hinunter ins Tal, wo er seinen Teilchenbeschleuniger in Gang wirft, um dem CERN der Dinge auf den Grund zu gehen oder das ein oder andere Schwarze Loch zu produzieren, in dem man dann am Nachmittag die eine oder andere schwarze Million verschwinden lassen kann, die wohl irgendwann zusammen mit dem Higgs-Boson im einen oder anderen Paralleluniversum auch wiederauftaucht. Das geht so lange, bis ihm die Präzisionsuhr in seiner Tasche anzeigt, dass es Zeit ist, denn er muss ja noch zum Schwingen, seinem Traditionssport, bei dem man sich einfach gegenseitig umwirft, bis keiner mehr steht. Dann kommt auch schon die Stunde, wo sich Mönch und Jungfrau, Heidi und Klara, Chemie und Versicherung sowie Biberli und Leckerli gute Nacht sagen, der Schweizer noch eine Glocke um Neutralität und Unabhängigkeit hängt, um dann langsam wegzuschloofe, weil für ihn spätestens am frühen Abend die Nacht ja schon wieder vorbei ist.

Der Schweizer ist sehr ordentlich und gewissenhaft. In der Regel lässt sich ein Schweizer Fußballer jeden Pass, der bei ihm ankommt, von seinem Mitspieler quittieren. Dadurch verliert das Schweizer Spiel leider oft an Tempo. Außerdem ist es relativ berechenbar, da die Spieler aus Traditionsgründen ständig versuchen, hohle Gassen zu bauen, durch die dann der Ball kommen muss.

Aber sie haben ja Ottmar Hitzfeld. Und dann gibt es da auch noch einen Schweizer im Weltfußball, nämlich Sepp Blatter, der ja sowieso irgendwie immer gewinnt.

RUSSLAND

ALLGEMEINES

Russland ist das größte Land bei dieser WM. Es ist sogar das größte Land der Welt. Eigentlich würde ich jetzt hier gern die genaue Quadratkilometerzahl angeben, aber leider ist die ziemlich unbeständig, weil immer irgendwo in diesem riesigen Russland gerade von irgendwem die Unabhängigkeit erklärt oder von Russland eben auch wieder zurückerklärt wird.

Schon weil es so riesengroß ist, hat Russland eigentlich alles. Zumindest mal landschaftlich. Der östlichste Punkt des Landes ist dermaßen weit im Osten, dass dahinter schon wieder Westen kommt.

MENTALITÄT

Der Russe ist immer entweder sehr fröhlich oder sehr traurig, manchmal sogar beides gleichzeitig. Dazwischen gibt es allerdings nichts. Das liegt an der tiefen Seele des Russen. Während bei den meisten anderen Völkern die Seele eher flach ist, man sie sich also mehr wie eine Untertasse vorstellen muss, hat sie beim Russen die Form eines

Glases. Will man einen Russen richtig kennenlernen und in seine Seele blicken, muss man dazu also tief ins Glas gucken, welches immer voll Wodka ist. Das macht die Sache nicht einfacher.

Drei Dinge gibt es, die noch nie ein Deutscher geschafft hat: auf dem Mond rumlaufen, Italien oder Brasilien bei einer Fußballweltmeisterschaft besiegen und einen Russen unter den Tisch trinken. Als ich einmal dachte, ich wäre der Erste, der einen Russen unter den Tisch getrunken hat, ich hätte sozusagen einen kleinen Schluck für mich, aber einen großen Schluck für die Menschheit oder doch zumindest für die deutsch-russische Trinkerverständigung getan, stellte sich mein Russe am nächsten Morgen leider als ein sehr, sehr betrunkener Oberpfälzer heraus. Wer gerne mal jemanden einen ganzen Abend lang Russisch sprechen hören möchte, aber keinen Russen kennt, der kann auch einfach einen Oberpfälzer sehr, sehr betrunken machen. Wie sagt man so schön: Trunkene Oberpfälzer Sehnsucht klingt wie ein altes Lied der Taiga.

DAS RUSSLAND MEINER KINDHEIT

In meiner westdeutschen Kindheit begannen Sätze häufig mit: «Wenn der Russe kommt...» Ein kalter, schneidender Wind wurde Russenpeitsche genannt, und nachdem ich einmal in einer Gemeinschaftskundearbeit die Frage «Was ist Lohn?» mit «Der Welten Undank» und die Frage «Was ist Fortschritt?» mit «Sowjetmacht plus Elektrifizierung» beantwortet hatte, wurde mir zu verstehen gegeben, dass ich jederzeit rübergehen könne, wenn ich wolle. Was natürlich Quatsch war, da mir das meine Eltern ja niemals erlaubt hätten. Russland war für uns so was wie Mordor, das finstere Reich Saurons. Nur einen wirklich beliebten und bekannten Russen gab es hier: Ivan Rebroff, der allerdings gebürtiger Spandauer war. Während fast alle meine Bekannten mit ostdeutscher Kindheit erzählen, sie hätten immer von Städten wie London, Paris oder New York geträumt, hat bei uns niemals jemand von Moskau oder Nowosibirsk geschwärmt, im Gegenteil. Noch Jahre vor der Entspannung und Perestroika öffnete uns nur der völkerverständigende, nachdenkliche Popsong «Moskau, Moskau! Wirf die Gläser an die Wand! Russland ist ein schönes Land!» der Gruppe Dschingis Khan die Herzen für dieses fremde, geheimnisvolle Reich im Osten. So gesehen könnten Pädagogikhistoriker irgendwann mal untersuchen, wessen ideologischer Unterricht eigentlich besser funktioniert hat.

TAGESABLAUF

Der durchschnittliche Russe steht einfach irgendwann auf und erklärt dann die Zeit seines Aufstehens zum Morgen. Bei insgesamt neun Zeitzonen im Land wird ja auch bestimmt immer irgendwo Morgen sein. Nach einem leckeren Frühstück mit Borschtsch, Soljanka, Wodka, Pelmeni und Kaviar spielt er dann den ganzen Vormittag mit seinen Matrjoschka-Puppen, meistens Einakter von Tschechow. Mittags juckelt er ein bisschen durch Potem-

kinsche Dörfer, bevor er mit den Brüdern Karamasow und
dem Soldaten am Wolgastrand Krieg und Frieden spielt,
bis der Arzt, also Dr. Schiwago kommt, dem er dann die
ganze Anna Karenina seines Lebens runterbetet, woraufhin der irgendwann Peter den Großen raushängen lässt
und den Russen zu «Iwan dem Schrecklichen» verurteilt,
für den dieser ganze Schuld-und-Sühne-Kram ja letztlich reine Rasputine ist. Nach einem abendlichen wilden
Ritt durch die Taiga nimmt der Russe sich die Balalaika
und tanzt Bolschoi, bis die Eremitage kracht. Dann aber
sagen sich auch in Sibirien Großer Bär und Kleiner Wagen
gute Nacht, während der Donkosaken-Chor langsam im
Schwarzen Meer versinkt.

POLITIK

Russland wird schon seit einigen Jahren von lupenreinen
Demokraten regiert. Man spricht hier von einer sogenannten Matrjoschka-Demokratie, da sie wie eine Matrjosch-
ka-Puppe funktioniert: Die äußerste Hülle war ein Putin,
darunter kam ein Medwedew zum Vorschein, darin steckte
dann wieder ein Putin, dann kommt wahrscheinlich wieder Medwedew, dann noch mal Putin... Kreml-Astrologen
vermuten, als kleinste, allerinnerste Puppe könnte irgendwann auch noch Gerhard Schröder kommen.

Wäre Gerhard Schröder eine alte russische Oma, hätte
er für Russland beim Grand Prix Eurovision de la Chanson
singen können.

Ungefähr hundert verschiedene Völker gibt es in Russland. Das sorgt für viel Verdruss und Konflikt. Da ihm diese ständigen Streitereien an den Nerven zerren, überlegt Putin unaufhörlich, ob man nicht auch mal was finden könnte, wo dann alle mitmachen. Vielleicht etwas, was eben mal alle doof finden und worüber sie, sei es auch nur für ein paar Monate, die anderen Streitereien vergessen. Homosexuelle zum Beispiel. Im Bus hörte ich kürzlich einen etwa sechzehnjährigen Jungen den bemerkenswerten Satz sagen: «Russland, also Putin verhält sich den Homosexuellen gegenüber im Moment irgendwie voll schwul.» Was, im Rahmen der Jugendsprache gesehen, die Sache schon einigermaßen auf den Punkt bringt.

Ich persönlich finde erotische Bilder völlig in Ordnung, solange sie künstlerisch, also ästhetisch sind.

Einige Russen sind, aus welchen Gründen auch immer, unvorstellbar reich geworden. Wer selbst schon mal Oligarch und Multimilliardär war, der weiß, so viel Geld kann ein Leben und die Perspektiven ziemlich verändern. Wenn diese Reichen jetzt irgendwo Urlaub machen wollen, kaufen sie immer gleich den ganzen Ort, wollen sie ein Fußballspiel sehen, kaufen sie den kompletten Verein, mit Stadion und Lampen. Sie machen das allerdings letztlich aus reiner Gastfreundschaft. Gastfreundschaft ist für Russen nämlich das Allerwichtigste überhaupt. Und richtig gastfreundlich kann man nur sein, wenn einem der Ort, wo man empfängt, auch gehört. Deshalb kaufen die Russen immer gleich alles. Damit sie dort eben gastfreundlich sein können. Irgendwie schon auch nett.

FUSSBALL

Die nächste Weltmeisterschaft im Jahr 2018 wird in Russland stattfinden. Das Gute daran ist: Wer heute dort wegen irgendwas Politischem verurteilt wird, hat gute Chancen, in der traditionellen Amnestie vor dem sportlichen Großereignis begnadigt zu werden.

Beim Turnier in Brasilien wird es für das russische Team wohl im Wesentlichen darum gehen, eine schlagkräftige Mannschaft für die eigene WM aufzubauen. Wobei ich ja vermute, dass die fußballverrückten Oligarchen in Kürze dazu übergehen, die internationalen Superstars für noch ein paar Millionen mehr gleich zu adoptieren oder von ihren Töchtern oder Ex-Ehefrauen heiraten zu lassen oder sie notfalls auch selbst zu heiraten, alles mit dem Ziel: ihnen die russische Staatsbürgerschaft zu verschaffen und so die Chancen der russischen Mannschaft bei der WM 2018 signifikant zu erhöhen. Aber womöglich ist diese Idee der russischen Kirche doch zu unorthodox.

AFRIKA

ALLGEMEINES

Als Jugendlicher habe ich mir oft die Schiffs-, Flug- und Zugverbindungen nach Algier rausgesucht, weil die Stadt einer der Orte war, wo man in die französische Fremdenlegion eintreten konnte. Damals war ich emotional nicht immer ganz ausgeglichen und dachte mir deshalb: Man kann ja nie wissen – wenn mal was ist, wenn ich schnell verschwinden will oder muss, dann weiß ich zumindest schon mal die Verbindung. Da es seinerzeit noch kein Internet, geschweige denn Apps gab, war das Herausfinden der Verbindungen allerdings ziemlich kompliziert und aufregend. Mit Kursbüchern aus der Bibliothek oder mühsam in Reisebüros geschnorrten Flug- und Schifffahrtsplänen habe ich mir die Route zusammengestellt, und bald dann auch Reiserouten in andere Länder. Manchmal saß ich tagelang auf meinem Bett und bin nach zum Teil seit Jahren abgelaufenen Fahrplänen durch alle Welt getourt. Für diese Kindheitserinnerung – eine meiner schönsten – danke ich Algerien sowie der Fremdenlegion von Herzen.

Freilich war meine Vorstellung vom Legionärsleben romantisch verklärt, denn die wesentlichen Informationen hatte ich aus dem Film «The Flying Deuces», auf Deutsch: «Dick und Doof in der Fremdenlegion». Als ich eine Freundin in meine Fremdenlegionspläne einweihte, meinte sie nur, ich wäre ja wohl «Dick und Doof» in Personalunion, was gemein war, denn ich bin damals gar nicht dick gewesen.

Kürzlich habe ich erfahren, dass die Fremdenlegion seit dem Ende der französischen Kolonialherrschaft gar kein Regiment mehr in Algier hatte und dass man ihr auch nur in Frankreich beitreten kann. Doch da ging es mir sowieso um etwas anderes. Ich hatte wegen eines Streits mit der Hausverwaltung bei der Fremdenlegion angefragt, was es eigentlich so kosten würde, mal ein paar Mann, sagen wir eine Rotte Fremdenlegionäre, übers Wochenende zur Regelung einer Mietrechtssache anzuheuern. Leider sagten sie mir, dass man die Fremdenlegion als Privatperson gar nicht anheuern kann, und Mietgeschichten machen sie auch nicht mehr, weil Schäden durch Fremdenlegionseinsätze von den meisten Haftpflicht- und Hausratsversicherungen nicht mehr übernommen werden.

GEOGRAPHIE, NAME UND RELIGION

Algerien ist, wie ich überrascht feststellte, das größte Land Afrikas (noch größer als der Kongo oder Südafrika), besteht aber zu mehr als vier Fünfteln aus Wüste. Ich nenne ja sonst gerne den Originalnamen von Ländern in der jeweiligen Landessprache. Bei Algerien lautet dieser arabische Originalname allerdings الجَزائرية الديمقراطية الشعبية الجمهوريـة,

al-Ǧumhūriyya al-Ǧazā'iriyya (in amtlichem Algerisch) oder ad-Dīmūqrāṭiyya aš-Šaʿbiyya (auf Arabisch), also Demokratische Volksrepublik Algerien.

Diesen Originalnamen konnte ich noch nicht einmal tippen. Ich musste ihn von der Algerienseite kopieren und hier einfügen. Von meiner Unfähigkeit, das Ganze auch noch auszusprechen, will ich gar nicht erst anfangen. Insofern ist es wohl für alle Seiten das Beste, wenn ich hier einfach Algerien schreibe.

Neben dem Iran und (mit Abstrichen) Nigeria ist Algerien einer von nur drei islamischen Staaten bei dieser Fußball-WM. Buddhisten, Juden oder Hindus sind übrigens gar keine dabei. In der Hoffnung, hieraus irgendwelche Rückschlüsse und skurrile Thesen ableiten zu können, habe ich meinen Theologenjoker befragt. Der befreundete evangelische Pfarrer meinte aber nur: «Viele Profifußballer treten wegen der für sie natürlich enormen Kirchensteuer früher oder später auch bei uns aus. Welcher Religion die danach angehören, geht mich nichts an.»

Algerien hat leider eine der höchsten Korruptionsraten weltweit, dazu erhebliche innere Konflikte, und mit den Menschenrechten nimmt man es auch nicht so genau. Weil das Land allerdings riesige Öl- und Gasvorkommen hat und bislang immer ein verlässlicher Lieferant war, sind die westlichen Demokratien bei der Forderung nach Menschenrechten und so Kram nicht so übertrieben streng wie bei Staaten ohne Bodenschätze (vergleiche: Türkei).

Der Algerier klettert jeden Morgen sehr früh ins Atlasgebirge hoch, um dort dem alten Titanen Atlas ein paar Minuten lang dabei zu helfen, den Himmel vom Absturz auf die Erde abzuhalten (der Titan ist übrigens nicht verwandt mit Herrn Diercke Welt, der ja auch mit Nachnamen Atlas heißt). Danach holt sich der Algerier leckere Ziegenmilch frisch vom Berber und frühstückt ein schönes Couscous mit Fladen und Zeug. In die Wüste fährt er nur selten, ist ja auch nie das richtige Wetter, dass man mal einen schönen Nachmittagsausflug in die Wüste machen möchte. Früher gab es eine schlecht ausgeschilderte Straße von Paris nach Dakar, die durch die algerische Sahara führte und auf der auch die gleichnamige Rallye langging. Aber weil die ewige Fahrerei durch die Wüste vielen Fahrern zu eintönig war und sie außerdem oft Sand im Getriebe hatten, nimmt die Rallye jetzt einen anderen, oft eigenartigen Verlauf. 2013 beispielsweise führte Paris–Dakar von Lima, der Hauptstadt Perus, nach Santiago de Chile. Klar, da sagt sich mancher Nordafrikaner: «Das ist nicht mehr mein Paris–Dakar.» Am Abend jedoch geht der Algerier (der übrigens nach übereinstimmender Meinung all meiner Bekannten, gleich welchen Geschlechts, ganz genau weiß, wie unfassbar gut er aussieht, auch wenn er mit seinem charmanten Lächeln dauernd unschuldig so tut, als wüsste er es nicht), relativ früh schlafen, denn am nächsten Morgen muss er ja wieder raus, um im Atlas Himmel und Erde auseinanderzuhalten.

In «Peggys Hot Jeans Shop» gab es auch einmal Wüstenwochen mit Gedicht-Preisausschreiben. Mein dazu eingereichter Limerick ging so:

Ein Sandfloh aus der Sahara
war rund zwanzig Jahre Bausparer,
dann baut er auf Sand,
das Vermögen verschwand,
und nur um Erfahrung dann reicher, das war er.

Einen Preis habe ich dafür nicht gewonnen. Aus heutiger Sicht würde ich sagen: zu Recht.

FUSSBALL

Der berühmteste, auch in Algerien populärste algerische Fußballer ist Zinédine Zidane, der allerdings für Frankreich spielte und natürlich auch Franzose ist. Doch da lässt der Algerier schon mal fünfe gerade sein. Spiele zwischen Frankreich und Algerien sind immer noch etwas ganz Besonderes für beide Mannschaften. Doch dazu kann es bei dieser WM ja frühestens im Viertelfinale kommen, und das traut den Franzosen eigentlich kaum jemand zu.

KAMERUN

ALLGEMEINES

Die Hauptstadt von Kamerun heißt Yaoundé. Wer das schon 1990 wusste, der hätte beim WM-Quiz der ARD ein Auto gewinnen können. Doch die Zeiten, als das Wissen noch etwas wert war, sind vorbei. Heute gewinnt man beim WM-Quiz höchstens eine Reise zum Heimspiel der deutschen Frauen-Fußballnationalmannschaft in Sinsheim. Nach einer nicht repräsentativen Umfrage unter fünf Berliner Grundschulkindern wussten übrigens immerhin drei, dass Yaoundé die Hauptstadt Kameruns ist. Sinsheim kannte hingegen keines. Ich denke, wie so viele Umfragen bedeutet auch diese absolut gar nichts, aber interessant ist sie trotzdem irgendwie.

GEOGRAPHIE, KLIMA UND MENTALITÄT

Der Kameruner an sich fällt sehr unterschiedlich aus. Zweihundertsechsundachtzig verschiedene Volks- und Sprachgruppen leben in dem Land, das etwas kleiner als Spanien ist. Rein von der Lage her hat es der Kameruner eigentlich ganz gut getroffen. Er wohnt gleich neben dem

Nigerianer im Golf von Biafra, quasi mit Zentralheizung; nur ist die nicht regulierbar, sprich: Das Klima ist tagsüber volle Kanne tropisch, aber nachts stellt sich die Heizung oft komplett ab, sodass es dann auch empfindlich kalt werden kann.

Um die Lage etwas plastischer zu beschreiben: Wenn Afrika Deutschland wäre, dann wäre Kamerun so im Groben die Eifel. Und tatsächlich gibt es auch erstaunliche mentale Parallelen zwischen Kamerunern und Eifelbewohnern. Martin, ein Bekannter, der fünf Jahre als Arzt in Yaoundé gelebt hat, erzählte mir beispielsweise, dass es auch die Kameruner niemals eilig haben, wirklich niemals. Im Gegenteil, oft habe er erlebt, dass Patienten enttäuscht waren, wenn sie zu schnell zum Arzt gebeten wurden. Häufig kam es vor, dass sie sich nach der Behandlung noch mal für ein oder zwei Stunden ins Wartezimmer gesetzt hätten, da sie sich auf eine viel längere Warterei eingerichtet hatten und nun fürchteten, der Tag geriete ihnen irgendwie aus dem Gleichgewicht, wenn der Praxisbesuch zu früh beendet wäre. Ähnliches ist mir mal in der Eifel widerfahren, als ein Bus einfach so für zehn Minuten auf offener Strecke anhielt und der Fahrer auf meine Frage nach dem Warum erklärte: «Hier ist sonst immer Stau.» Busfahren wiederum ist laut Martin auch in Kamerun nicht so ganz ohne, da die Fahrer häufig spontan Rennen gegeneinander veranstalten, was nicht nur zu heftigen Angstschweißausbrüchen bei den Fahrgästen führt, sondern auch dazu, dass der Bus wegen des Wettrennens bei keiner Station mehr hält und am Ende ganz woanders ankommt als ursprünglich geplant. So sieht man zwar viel von der Stadt, erlebt ausnahmsweise mal

Kameruner, die es eilig haben (also die Busfahrer), und ist sogar ein wenig stolz, wenn der eigene Bus gewonnen hat. Aber es ist natürlich sehr zeitaufwändig, da man ja auch im nächsten Bus, der einen dann zurückbringen soll, nicht weiß, ob nicht gleich ein neues Rennen beginnt, das einen womöglich noch weiter in die Außenbezirke spült.

GESCHICHTE UND RELIGION

Im 19. Jahrhundert war der Kameruner sogar mal Deutscher. Aber das ist lange her, und es hat sich für ihn auch nicht so richtig bewährt. Dennoch genießen Deutsche in Kamerun laut Martin nach wie vor ein vergleichsweise hohes Ansehen. Das mag daran liegen, dass nach ihnen noch die französischen und die britischen Kolonialherren kamen, die deutsche Kolonialzeit aus Sicht der Kameruner also sozusagen die gute alte Zeit war, obwohl sie so gut nun wirklich auch nicht gewesen ist. Heute ist Kamerun zwar unabhängig, hat aber große Probleme mit der Korruption und ein, freundlich ausgedrückt, originelles Justizsystem. So gibt es dort beispielsweise staatlich anerkannte «witch doctors», die jederzeit rechtsgültige Urteile aufgrund erwiesener Hexerei aussprechen können. Im letzten Jahr haben sie zahlreiche Urteile verhängt, nicht zuletzt, weil Penisse ganz klein oder sogar komplett weggezaubert wurden. Das ist leider gar nicht so komisch, wie es klingt.

Der Berliner kannte den Kameruner bis 1990 eigentlich nur als Backware. Das hört sich zwar erst mal nicht so vorteilhaft an, aber auch der Amerikaner und der Berliner selbst sind ja überall Backwaren, außer in Berlin. Ob die Kameruner in Kamerun Pfannkuchen heißen, ist nicht bekannt...

FUSSBALL

Das Staatsoberhaupt von Kamerun, Paul Biya, interessiert sich sehr, sehr für Fußball und ist immer ziemlich enttäuscht, wenn Kamerun verliert. Er ist sogar sehr, sehr, sehr enttäuscht. Richtig lange sind die Trainer von Kamerun eigentlich nie im Amt. Ob es da einen Zusammenhang gibt, weiß ich nicht, würde es aber vermuten.

Zurzeit ist Volker Finke Trainer von Kamerun. Wenn er klug ist, macht er bis zur WM kein Testspiel mehr mit seinen Kamerunern. Dann kann ihm zumindest so lange nichts passieren. Da Kamerun aber in der Gruppe der Brasilianer ist, dürfte Finke genau der richtige Trainer sein. Er kennt den Gegner, schließlich hat er zwanzig Jahre lang in Freiburg die damals sogenannten Breisgau-Brasilianer trainiert. Überdies war er vor Kamerun zuletzt Sportdirektor beim 1. FC Köln. Und es gibt wohl kaum einen Verein in Deutschland, der eine seriösere Vorbereitung auf den Trainerjob in Kamerun bieten kann, weil ja gleich hinter Köln die Eifel beginnt.

Die Spieler Kameruns werden die «unbezwingbaren Löwen» genannt. 1990 hat der damals achtunddreißigjährige Roger Milla mit seinen Tänzen nach seinen Toren Kamerun und den afrikanischen Fußball in der ganzen Welt beliebt gemacht. Vier Jahre später, mit zweiundvierzig Jahren, war er wieder dabei und wurde zum ältesten Torschützen der WM-Geschichte. So gesehen ist der heutige Superstar Eto'o mit seinen dreiunddreißig Jahren vielleicht einfach noch zu jung, um Kamerun zum ganz großen Erfolg zu führen.

ALLGEMEINES

Wahrscheinlich ist der Berliner Wedding der einzige Stadtteil der Welt, aus dem drei WM-Spieler in drei verschiedenen Nationen kommen. Zumindest bin ich bei meiner Recherche auf keinen anderen Ortsteil irgendeiner Stadt dieses Planeten gestoßen, der Ähnliches vorweisen könnte. Wer also zufällig durch den Wedding läuft und dabei fußballspielende Kinder im Park oder auf Bolzplätzen sieht: Ruhig mal stehenbleiben und vielleicht sogar ein bisschen filmen! Eventuell findet hier gerade eine zukünftige Weltmeisterschaft im Kleinen statt.

Den heutigen Trainer der Kroaten, Niko Kovač, habe ich bereits erwähnt, den deutschen Nationalspieler Jérôme Boateng, der zwar in Charlottenburg aufwuchs, aber auf dem Wedding das Fußballspielen erlernte, kennt jeder, und seinen Bruder Kevin-Prince Boateng, der für Ghana spielt, kennt man erst recht. Spätestens seit er vor vier Jahren Michael Ballack aus der deutschen Mannschaft rausgetreten hat. Michael Ballack, vorher noch die «Wade der Nation», wurde 2010 zum Knöchel der Nation: Ein Tritt Boatengs hatte quasi zum doppelten Umbruch geführt, sowohl in Ballacks Fuß als auch in der Nationalmannschaft.

Die Ghanaer sind so etwas wie die Goldjungs Afrikas, in mehrfacher Hinsicht. Zum einen liegt das Land zwischen der Côte d'Ivoire und Togo an der afrikanischen Goldküste, und die heißt aus gutem Grund so: Die Goldminen im Landesinneren sind bis heute die wichtigste Einnahmequelle des Landes. Apropos Grenze zu Togo: Der Fußgängergrenzübergang in der Akwapim-Gebirgskette zwischen beiden Ländern wird vom togolesischen Volksmund auch gerne «Ghana to go» genannt. Englisch ist Ghanas Amtssprache, der Einfachheit halber, da ansonsten neunundsiebzig weitere Sprachen und Dialekte gesprochen werden. Trotzdem kommt es mitunter immer noch zu Verwirrungen: Samuel, der ghanaische Koch eines italienischen Restaurants in Berlin, erzählte mir, dass er häufig in Akan träumt, der Sprache der Aschanti, obwohl er die eigentlich nie richtig gesprochen hat. Dem Ghanaer ist nichts Mythisches fremd.

Ghana war das erste afrikanische Land, das von England in die Unabhängigkeit entlassen wurde. Daher haben sie dort immer einen kleinen Vorsprung: Die Zeit der Militärputsche ist seit zwanzig Jahren vorbei, die politischen, wirtschaftlichen und gesellschaftlichen Verhältnisse sind vergleichsweise stabil, weshalb Ghana auch schon mal der Hoffnungsschimmer Westafrikas genannt wird.

Das gewaltigste Projekt in der Geschichte Ghanas ist der Volta-Stausee. Ein künstliches Gewässer, über achttausendfünfhundert Quadratkilometer groß, mehr als das Fünfzehnfache des Bodensees. Übertragen auf deutsche Verhältnisse wäre das in etwa so, als würde man das komplette Rheinland fluten, um die Eifel zu bewässern und Westfalen mit Strom zu versorgen. So ein Projekt wäre im überregulierten Deutschland vermutlich sehr umstritten, es gäbe Bürgerinitiativen, Petitionen und Pipapo, bis man am Ende wahrscheinlich gar nichts mehr fluten dürfte und Deutschland bald nicht mehr wettbewerbsfähig wäre.

ALLTAG

Tatsächlich sind die Ghanaer auch so etwas wie die Rheinländer Afrikas. Zumindest was das Feiern angeht. Niemand kann feiern wie die Ghanaer. Wenn Ghanaer in einem Verein sind, ob Fußball oder was anderes, sind sie automatisch für die Musikauswahl zuständig. Oder sie singen gleich selbst, was sie stets mit großer Freude und immer sehr, sehr laut tun. Rheinländer eben. Martin, ein Bekannter, der als Arzt einige Jahre in Afrika verbracht hat (siehe Kamerun), erzählte mir von Ghanas Hauptstadt Accra: Er habe noch nie eine Stadt gesehen, in der so viel getanzt würde. Und so gut. Ghanaer tanzen praktisch bei jeder Gelegenheit, sobald sie irgendeine Musik hören. Oder auch nur so etwas Ähnliches wie Musik, im Prinzip reicht schon ein bellender Hund oder ein stotternder Auspuff. Wer also mal richtig abtanzen will und, so wie ich, hier in Deutschland irgendwie nie so wirklich dazu kommt, sollte urlaubsmäßig mal an Ghana denken. Es gibt da auch, siehe Côte d'Ivoire, viel und schöne Atlantikküste.

Der berühmteste Ghanaer aller Zeiten ist wohl Kofi Annan, der ehemalige UN-Generalsekretär, den ich irgendwie immer Kofi Kofi Annan nennen will. Vermutlich wegen seines Vorgängers Boutros Boutros Ghali. Und ich kenne erstaunlich viele, denen es genauso geht, also mit Kofi Kofi Annan. Die meisten haben keine Ahnung, warum.

SONSTIGES

Außerdem hat der Export von Edelhölzern sehr große Bedeutung für Ghana. Ein Freund von mir behauptet, sein edler Küchentisch komme aus Ghana und an einem der Tischbeine habe er, der Freund, sich vor vier Jahren den Fuß ruiniert. Wie Boateng dem Ballack, meinte er, habe ihm der ghanaische Küchentisch quasi den Knöchel zuschanden getreten. Ob das nicht eine dolle Geschichte wäre? Also, wenn ich diese seine Geschichte mal erwähnen würde, hat er versprochen, dann würde er ihn mir gern schenken, seinen wirklich sehr schönen Tisch.

FUSSBALL

Seit Kevin-Prince Boateng von der deutschen in die ghanaische Nationalmannschaft gewechselt ist, muss Ghana ständig gegen Deutschland spielen. Wie schon 2010 sind wir auch dieses Mal wieder in einer Gruppe. Hätte Boateng im Spiel vor vier Jahren Deutschland aus dem Turnier geschossen, wäre die Enttäuschung hier riesig gewesen. Man hätte gesagt, da habe eben Ballack gefehlt – und niemand weiß, wie sich dann alles entwickelt hätte. So aber folgten begeisternde Siege gegen England und Argentinien, und plötzlich hieß es: Ohne Ballack ist alles viel besser. Und nach ein paar Jahren war selbst Boateng in Deutschland, speziell auf Schalke, wieder vermittelbar. So kann's gehen. Diesmal aber gibt es für ihn keinen Grund, irgendeine Rücksicht auf seinen Ruf oder seinen Bruder zu nehmen. Ghana hat ein noch immer junges, hungriges, hochtalentiertes Team. Und auch mit Blick auf den Spielort Fortaleza kann man sicher sein: Das wird eine ganz heiße Kiste.

ALLGEMEINES

Um es gleich einleitend zu sagen: Der Elfenbeinküstler mag es gar nicht, wenn man ihn Elfenbeinküstler nennt. Er möchte Ivorer genannt werden, auch im Deutschen. In der Elfenbeinküste, also der Côte d'Ivoire (was auf Französisch Elfenbeinküste heißt), ist es sogar unter Strafe verboten, die Côte d'Ivoire anders zu nennen als Côte d'Ivoire. Auch Ivory Coast, Costa de Marfil und andere Übersetzungen sind strengstens verboten. Man sollte das Wort Elfenbeinküstler also vermeiden, am besten gar nie verwenden. Daher werde ich den Elfenbeinküstler hier auch nicht Elfenbeinküstler nennen, sondern natürlich Ivorer. Das Adjektiv elfenbeinküstisch gibt es übrigens gar nicht. Sollte also etwas definitiv elfenbeinküstisch aussehen, so ist es tatsächlich natürlich ivorisch.

Das Produkt, nach dem die Côte d'Ivoire benannt ist, also das Elfenbein, wird heute ohnehin nicht mehr in Côte d'Ivoire hergestellt oder von dort exportiert. Das liegt daran, dass es in Côte d'Ivoire praktisch gar keine Elefanten mehr gibt, was ich gut verstehen kann. Man muss sich da ja nur mal in so einen Elefanten reinversetzen: Wenn ein Land schon Elfenbeinküste beziehungsweise natürlich

Côte d'Ivoire heißt, na, da hör ich als Elefant doch die Nachtigallen trapsen. Da geh ich doch dann mal lieber nicht mehr hin, bin ja nicht bescheuert, nur zum Spaß werden die das Land ja wohl kaum so genannt haben. Oder um es mit einem einigermaßen furiosen und vieldeutigen Wortspiel zu sagen: «Nee, den Zahn haben die Ivorer den Elefanten schon vor langer Zeit gezogen.»

GEOGRAPHIE UND GESCHICHTE

Die Côte d'Ivoire liegt, genau wie Kamerun, Ghana und Nigeria, ziemlich mittig im Westen Afrikas am Atlantik, unterhalb dieser Beule, die man auf der Karte sieht. Während sich hier, an der afrikanischen Westküste, die WM-Teilnehmer geradezu ballen, kommt aus dem Osten Afrikas keine einzige WM-Nation. Das ist so ähnlich wie in Deutschland, wo ja auch kein Bundesligist aus dem Osten kommt. Außer Hertha BSC Berlin, der allerdings trotz seiner geographischen Lage im Osten ein Westverein ist. Wodurch wieder mal deutlich wird, dass Osten und Westen in Deutschland sehr relative Begriffe sind. Beispielsweise liegt ja auch München, die Hauptstadt von Bayern, geographisch gesehen weiter östlich als Erfurt, die Hauptstadt von Thüringen. Trotzdem gilt München, das ja auch noch tief im Süden ist, ohne Frage als extremer Westen. Für uns ist das ganz logisch und hat historisch gewachsene Gründe. Wie muss dieses Himmelsrichtungskuddelmuddel eigentlich für einen Afrikaner klingen? Daran sollte man vielleicht denken, wenn wieder mal gesagt wird, die Verhältnisse in

Afrika seien extrem kompliziert, seltsam historisch verschlungen und rein logisch sowieso gar nicht zu erfassen.

Nichtsdestotrotz verlockt auch die jüngere Geschichte der Côte d'Ivoire wieder zu solch gestammelter analytischer Ratlosigkeit. Das Land erfreute sich lange einer für afrikanische Verhältnisse erstaunlichen Stabilität, relativen Wohlstands und eines ordentlichen Bildungssystems, bis ein naturgemäß sinnloser Bürgerkrieg (Auslöser war tatsächlich die Frage, ob die Mutter des Gegenkandidaten des Präsidenten eine geborene Ivorerin war) die Côte d'Ivoire zu einem von Armut gezeichneten Land machte. 2007 gab es zwar Frieden, aber weder Freude noch Eierkuchen.

WIRTSCHAFT

Die Côte d'Ivoire ist aber auch ohne Eierkuchen nach wie vor der weltweit größte Kakaoproduzent. Tatsächlich kommt der Kakao für vier von zehn Tafeln Schokolade in unseren Supermärkten aus dem Land. Nur falls hier jemand denkt: Och, die Elfenbeinküste, was hat die schon groß mit mir zu tun? Also: ohne Elfenbeinküste keine Schokolade.

SONSTIGES

Félix Houphouët-Boigny, der erste frei gewählte Staatspräsident der Côte d'Ivoire, ernannte übrigens 1983, nach dreiundzwanzigjähriger Amtszeit, seine Geburtsstadt Yamoussoukro zur neuen ivorischen Hauptstadt, anstelle

Abidjans, das es vorher war. Es wäre interessant, welche Reaktionen es gäbe, wenn Angela Merkel, falls sie dreiundzwanzig Jahre lang Kanzlerin bleiben sollte, ihren Geburtsort Barmbek-Nord oder auch Templin, die Stadt ihrer Kindheit, zur neuen Hauptstadt erklären würde. Zumindest von einigen Templinern weiß ich, dass denen so viel Aufregung gar nicht recht wäre.

KULTUR

Die Côte d'Ivoire ist das einzige afrikanische Land mit einer deutschsprachigen Lesebühne. Ab und zu sind deshalb auch ivorische Vorleser in Berlin. Von ihnen erfährt man beispielsweise, dass es an der mehr als fünfhundert Kilometer langen Atlantikküste der Côte d'Ivoire einige der schönsten Strände Afrikas gibt.

In meiner Limerick-Phase während der Schulzeit habe ich auch mal fünf Zeilen zur Elfenbeinküste verfasst:

Ein Gepard aus Elfenbeinküste,
der hat gar seltsame Gelüste:
Statt Zebra und Gnu
liebt er Damenschuh
und wünscht, dass er damit nicht gar so schnell
rennen müsste.

Auch damit habe ich keinen Preis gewonnen. Bei Lyrik kommt es eben immer sehr auf die Tagesform an.

Die Mannschaft der Côte d'Ivoire nennt sich «Die Elefanten». Schon seit mehreren Turnieren gelten sie stets als Geheimfavorit. Doch da sie bislang immer extrem schwere Gruppen erwischten, wurden sie jedes Mal schon nach der Vorrunde vom Geheim- zum Daheimfavoriten. Diesmal, in der sehr ausgeglichenen Gruppe mit Kolumbien, Griechenland und Japan, könnten sie die Stoßzähne vorn haben. Das wäre wohl nicht nur Didier Drogba, dem alten Rüssel, sehr zu wünschen.

Nicht wenige Experten meinen, dass es im Aufgebot der Elfenbeinküste noch die eine oder andere Überraschung geben könnte. Womöglich sogar sehr, sehr große Überraschungen.

NIGERIA

ALLGEMEINES

Von seinen Bodenschätzen, den großen Öl-
vorkommen und den Edelsteinminen her
könnte Nigeria eines der reichsten Länder
der Welt sein. Tatsächlich ist das Land,
also der Staat Nigeria, alles andere als reich.
Warum, weiß niemand. Dabei muss dieser Staat noch nicht einmal seine Regierung
selbst bezahlen. Das übernimmt schon seit Jahrzehnten der sehr große europäische Erdölkonzern, der
auch sonst überall auf der Welt hochgeachtet wird für seine
Liebe zur Natur und zu den Menschen und besonders auch
für seine hohen Sicherheitsstandards bei Bohrinseln auf
hoher See.

Warum es trotz der jahrzehntelangen, äußerst engen
Zusammenarbeit mit diesem Konzern aus den besten und
angesehensten Demokratien dieser Welt immer noch so
viel Korruption und Kriminalität in Nigeria gibt, ist eines
der Rätsel der Menschheit. Bestimmt liegt das wieder an
dieser unergründlichen afrikanischen Mentalität, die wir
im Westen einfach nicht begreifen.

Nadine, eine recht gute Freundin, schwärmt seit der Weltmeisterschaft 1994 in den USA für Nigeria und die Nigerianer. Damals waren deren «Super Eagles» mit begeisterndem
Offensivspiel bis ins Achtelfinale gestürmt. Seitdem gibt es
zwischen Nadine und mir eine Art Spiel, in dem ich regelmäßig versuche, ihr die Nigeriabegeisterung wieder aus-
zureden. Argumente gibt es zuhauf: Das Land hat eine der
höchsten Korruptionsraten überhaupt, von seinem Reich-
tum (siebtgrößter Ölexporteur der Welt, Edelsteinminen,
gigantischer Holzeinschlag) kommt praktisch nichts in
der Bevölkerung an; in Sachen Ungleichverteilung in der
Gesellschaft ist Nigeria absolut führend; die Kriminalitäts-
bilanz des Landes klingt absurd. Den Reisewarnungen des
österreichischen Außenministeriums zufolge gibt es praktisch nichts, was man in Nigeria machen kann, ohne sich in
Gefahr zu begeben. Autofahrern wird beispielsweise geraten, niemals bei Polizeikontrollen anzuhalten, da sich Stra-
ßenbanden häufig als Polizisten verkleiden oder manchmal
auch echte Polizisten bei entsprechenden Gelegenheiten
spontan zu Straßenräubern mutieren. Vor kurzem hat die
wirklich nur unter sehr, sehr großzügiger Auslegung «demokratisch gewählt» zu nennende nigerianische Regierung
Homosexualität als Schwerverbrechen eingestuft.

Nadine hält mir dann immer entgegen, dass *ihre* Erfahrungen mit Nigerianern aber ganz andere sind. Der
durchschnittliche Nigerianer ist laut Nadine: stolz, stark,
ernsthaft, verlässlich, ausgesprochen gutaussehend, und er
steckt voller Gedanken und Gefühle, die man bei Europä-

ern vergeblich sucht und die, wenn ich mich nur mal mit so was befassen würde, auch meinen Horizont erheblich erweitern könnten. Damit hat sie vermutlich recht, wobei ich ja manchmal Angst habe, vor lauter Über-den-Horizont-Gucken den Boden aus dem Blick zu verlieren.

Auf jeden Fall sind die Nigerianer schon immer große Künstler gewesen, das beweisen die weltberühmten, uralten Terrakotten der Nok und die florierende nigerianische Filmindustrie, genannt Nollywood. Zudem haben in Nigeria schon Menschen gelebt, als sich bei uns noch Mammut, Dinosaurier und Säbelzahntiger so heftig gute Nacht sagten, dass gleich erst mal wieder eine Eiszeit anbrach.

Auch Wole Soyinka, der 1986 als erster Vertreter der afrikanischen Literatur den Nobelpreis erhielt, kam aus Nigeria. Aber dass Literatur besonders in Ländern ohne nennenswerte politische Opposition gut gedeiht, ist ja nichts Ungewöhnliches. Auch bei uns kommen auffallend viele gute Kabarettisten aus Bayern. Dieter Hildebrandt ist sogar extra hingezogen.

MEINE PERSÖNLICHEN BEZIEHUNGEN ZU NIGERIA

Der einzige Nigerianer, mit dem ich bislang richtig Kontakt hatte, ist Mr. John Francis, der enge Verbindungen zu einem ehemaligen Regierungsmitglied seines Landes hat. Manchmal ist er sogar selbst das ehemalige Regierungsmitglied. Im Regelfall bittet er mich per Mail, dass ich über einen gewissen Zeitraum zehn Millionen US-Dollar für ihn auf meinem Konto lagern möchte, weil ich einfach der einzige Mensch sei, dem er noch vertrauen könne. Das ist natürlich sehr schmeichelhaft für mich. Zumal ich auch ein Viertel der Summe behalten dürfe, wenn alles erledigt sei. Wie das am Ende genau funktioniert, habe ich noch nicht verstanden, möglicherweise ist das auch einer dieser Gedanken der Nigerianer, die meinen Horizont übersteigen. Ich bin bislang noch nicht auf Mr. John Francis' Vorschlag eingegangen, man kommt ja zu nichts. Aber es ist doch beruhigend, dass ich, wenn mal alle Stricke reißen, so einen Job in der Hinterhand habe.

FUSSBALL

Der ganze Stolz des Landes sind seine Fußballer, die «Super Eagles». Seit Nigeria bei Weltmeisterschaften dabei ist, gilt es eigentlich immer als chancenreicher Außenseiter. Weiter als bis zum Viertelfinale ging es dann aber doch noch nie. Dieses Mal haben sie allerdings eine wirklich starke Mannschaft und eine machbare Auslosung. Fünfhundertvierzehn verschiedene Sprachen werden in Nigeria gesprochen. Es wäre schön, wenn die «Super Eagles» dafür sorgen könnten, dass zumindest für ein paar Wochen jeder Nigerianer den anderen mal einfach so versteht. Würde mich auch für Nadine freuen.

ASIEN UND OZEANIEN

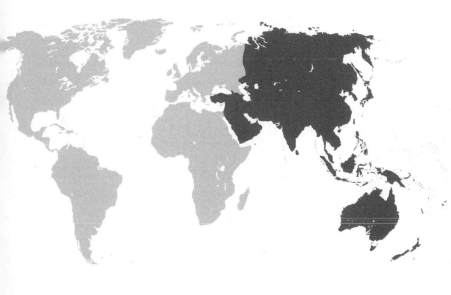

ALLGEMEINES

Genau genommen ist das Australien, wie wir es heute kennen, als Sträflingsinsel entstanden. Die Engländer, immer für eine krude Idee gut, beschlossen im 18. Jahrhundert, als ihre Gefängnisse gerade überliefen, einfach ein paar Schiffe voll Straftäter nach Australien zu schicken. Das war für die, die damals schon in Australien wohnten, also die Aborigines, natürlich ein bisschen doof. Man stelle sich vor, heute würde auf einmal irgendein Land, sagen wir mal Belgien, seine Sträflinge alle auf ein Schiff laden und dann zum Beispiel auf Sylt absetzen. Da würden die Sylter aber auch schön gucken.

Nach Australien schickt man heute nur noch ganz selten und sehr wenige Häftlinge aus Europa. Diese müssen dann in irgendeinem Dschungelcamp Würmer und Käfer essen, werden mit fünf Tonnen Kakerlaken überschüttet oder gezwungen, eine Spinnenkönigin zu heiraten und so lange deren Eier auszubrüten, bis Sonja Zietlow und Daniel Hartwich das nicht mehr lustig finden. Das ist ihre Strafe dafür, dass sie überhaupt beim Dschungelcamp mitmachen, was rechtsphilosophisch interessante Fragen aufwirft: Wenn die Tat selbst schon bereits die Strafe für die Tat ist, wo beginnt dann die Strafe und wo endet die Tat? Oder andersherum?

Diese direkte, geradezu symbiotische Verbindung von Strafe und Tat erleben wir im Alltag eigentlich nur noch, wenn jemand trotz ausdrücklichen Warnschilds an einen Elektrozaun pinkelt, einen Microsoft-Computer klaut oder entgegen strengen elterlichen Verbots diese Dschungelcamp-Sendungen anschaut.

TAGESABLAUF

Der durchschnittliche Australier – der im Großen und Ganzen übrigens so aussieht wie Hugh Jackman oder Nicole Kidman, also je nachdem – wirft noch vor dem Frühstück, so doll er nur kann, seinen Bumerang in die Luft und brät sich dann erst mal ein schönes, großes Straußenei. Anschließend schmiert er sich unterarmdick mit Sonnencreme ein und fährt ins Landesinnere, wo er rund zweitausend Schafe pro Stunde schert, ehe er einen Topf roter Farbe nimmt und den Ayers Rock frisch anstreicht. Zurück nach Hause läuft er gern über den Walkabout, singt Dundee-Doodle oder fachsimpelt mit Krokodilen über Kylie Minogue, bevor er sich am Abend in der weltberühmten Sydneyer Oper ein Didgeridoo-Konzert anhört. Nach der vierten Zugabe muss er allerdings los, denn er will natürlich zu Hause sein, wenn der Bumerang zurückkommt. Danach dann sagen sich in Australien, nach einem langen und erfüllten Tag, Koala und Känguru gute Nacht.

Der Australier beim Morgen-Bumerang.

FUSSBALL

Die beliebteste Sportart der Australier ist der «Gaelic Football», eine Art Rugby. Und natürlich kommt rund ein Drittel der Weltwolle aus Australien. Das heißt mit anderen Worten, Fußball spielt dort eigentlich nur, wer körperlich zu zart für Gaelic Football und zu ungeschickt für Schafscherwettbewerbe ist. Oder eben Australier, die nicht in Australien leben beziehungsweise aufgewachsen sind. Gemessen daran ist die Fußballnationalmannschaft erstaunlich stark. Bei der WM 2006 haben die Australier nur wegen eines skandalösen Elfmeters in der fünfundneunzigsten Minute im Achtelfinale gegen den späteren Weltmeister Italien verloren. Aufgrund ihrer Vorrundengruppe bei dieser WM – Spanien, Holland und Chile – liegen ihre

Chancen in Brasilien aber wohl doch eher im Bereich down under. Schade, ich persönlich mag die «Socceroos», wie die Australier ihre Nationalmannschaft liebevoll nennen, schon sehr gern.

ALLGEMEINES

Vor einigen Jahren sah ich auf der Berlinale den Film «Nader und Simin». Ich war einigermaßen gespannt, denn die iranische Produktion sollte das alltägliche Leben, die Sorgen, Probleme und Hoffnungen einer mittelständischen Familie in Teheran zeigen. Das interessierte mich: wie wohl die mehr oder weniger normalen Tage von normalen Menschen in einem Gottesstaat aussehen? Womit sind die so befasst? Zu meiner Überraschung ging es im Wesentlichen um Altersvorsorge, Pflegenotstand, Beziehungsprobleme, Scheidung, pubertierende Kinder und vor allem um die ganz normale, alltägliche Überforderung und die daraus folgende chronische Müdigkeit. Sieht man mal von dem muslimischen Familienberater ab, hätte die ganze Geschichte genauso gut in Paris, Madrid oder Frankfurt spielen können. Der Film hat dann als erster iranischer Beitrag den Goldenen Bären gewonnen. Für mich die richtige Entscheidung, meinen Blick auf die Welt hat er wirklich verändert.

Denn offen gestanden: Wann immer ich an den Iran dachte, sah ich vor meinem inneren Auge Massen von verschleierten oder bärtigen Menschen, die wegen irgendwas ziemlich sauer waren und schimpfend über sandige Straßen oder staubige Plätze zogen. Meist angeheizt von noch schlechter gelaunten, zornigen, womöglich gar zu Hysterie neigenden Vorbetern wie Mahmud Ahmadinedschad. Mit dem normalen Alltag der Menschen in Teheran hatte das aber wohl so viel zu tun, als würde man Bilder von der alljährlichen Hauptsitzung eines rheinischen Karnevalsvereins zeigen, um zu vermitteln, wie die aktuelle allgemeine Stimmungslage in Deutschland gerade so ist. Es sei hier mal dahingestellt, was dem unbeteiligten Betrachter in anderen Ländern mehr Angst machen würde: die Bilder zorniger Demonstranten aus Teheran oder der mit heiligem Ernst und Entschlossenheit vollzogene Karnevalsfrohsinn. In jedem Fall sind die täglichen Herausforderungen des Lebens an sich für den durchschnittlichen Teheraner ziemlich ähnlich wie die, mit denen sich auch hierzulande der Normalbürger herumzuschlagen hat – da kommt einem das Gerede von so Zeug wie einem «Kampf der Kulturen» doch eher wie intellektuelle Folklore vor.

GESCHICHTE

Früher war der Iraner Perser. Und eigentlich ist er immer noch Perser, nur heißt er mittlerweile eben anders. Das ist so ähnlich wie mit Prince, der seinerzeit ja auch, um mehr Unabhängigkeit von seiner Plattenfirma zu erlangen, seinen Namen in «The artist formerly known as Prince» geändert hat. Iran heißt übersetzt übrigens so viel wie «Land der Arier», und die eigentlichen Arier sind ja bekanntlich die Perser. Der Iran beziehungsweise «the country formerly known as Persia» ist eines der ältesten Länder und hat damit auch eine der ältesten Kulturen der Welt. Als Alexander der Große damals zum Erobern hinkam, waren dort schon fünf oder sechs Kulturen untergegangen. Zu Zeiten, da bei uns die ersten Menschen von den Bäumen stiegen, hatten die Perser schon längst ihre Bäume mitsamt Laub in der Erde vergraben, weil sie sich ausrechneten: Wenn das mal zu Erdöl geworden ist, kann es uns, sobald Carl Benz das Automobil erfunden hat, womöglich von Nutzen sein. Und so kam es am Ende dann ja auch.

Gefunden haben das Öl dann aber erst mal die Briten und Amerikaner. Als die sich allerdings weigerten, den Iran an den Erdölgewinnen zu beteiligen, hat dieser die Quellen verstaatlicht, woraufhin es völlig überraschend zu einem Militärputsch gegen den demokratisch gewählten Präsidenten Mossadegh kam. Danach kehrten der Iran zur Monarchie und die Erdölquellen zu den Amerikanern und Briten zurück. Und so blieb es bis zum Fadschr, dem «Tag der Morgenröte» am 1. Februar 1979, als Ayatollah Khomeini in Teheran einzog. Seitdem mag sich vielleicht mancher im Westen gedacht haben, dass es womöglich klüger gewesen wäre – für den Mittleren Osten und für den Rest der Welt –, die funktionierende Demokratie im Iran damals in den fünfziger Jahren eine funktionierende Demokratie bleiben zu lassen und einfach die iranische Bevölkerung an den Erdölgewinnen zu beteiligen. Womöglich haben sich aber andere genau die Entwicklung gewünscht, die dann gekommen ist. Man weiß es nicht. Es ist ein weites Feld, wie überhaupt der ganze Iran, der schließlich zu mehr als der Hälfte aus Wüstenland besteht.

Der Iran ist ein Gottesstaat. Vom Gesetz her kann der Abfall vom Islam mit der Todesstrafe geahndet werden. Ich kenne einen Landpfarrer, der so viel Zeit mit dem Abwickeln und den Gesprächen wegen der vielen Kirchenaustritte verbringt, dass er meiner Meinung nach ein kleines Leuchten in den Augen hatte, als ich ihm mal von diesem Gesetz erzählte.

Die wichtigste Industrie im Iran ist natürlich die Energiewirtschaft. Neben Öl und Gas haben hier auch die Gebetsmühlen eine große Bedeutung. Außerdem hätte man gerne Atomkraft. Für den zivilen Gebrauch natürlich, ausschließlich dafür. Viele internationale Beobachter fürchten allerdings, dass die Iraner, wenn sie die Atomkraft erst einmal hätten, sie eben doch früher oder später exportieren, genau wie ihr Gas und Öl, und zwar auf allen bekannten und neuen Wegen, womöglich sogar mit Raketen.

Natürlich ist Homosexualität im Iran, vorsichtig formuliert, nicht gern gesehen. Dafür ist man in Sachen Geschlechtsumwandlung einer der liberalsten und fortschrittlichsten Staaten der Welt. In kaum einem anderen Land werden so viele Umwandlungen vorgenommen, deren Kosten auch größtenteils von den staatlichen Gesundheitsbehörden bezahlt werden. Eine muslimische Freundin sieht hierin gar nichts Überraschendes, sie erklärte mir dazu: «Der Islam erwartet eben klare Entscheidungen.»

Auch bei dieser Weltmeisterschaft werden die Spiele im Iran wohl wieder um eine Minute zeitversetzt ausgestrahlt, um eventuelle Aufnahmen allzu leichtbekleideter Fans schnell noch rausschneiden zu können. Erstmals wird diese Technologie aber auch von anderen Ländern eingesetzt. Speziell bei Spielen der Engländer. Nicht aus religiösen, sondern aus ästhetischen Gründen werden wohl verschiedene hochentwickelte, sensible Kulturvölker ihre Zuschauer vor Bildern von kräftigen männlichen Fans mit nacktem Oberkörper schützen.

Seinen größten Erfolg feierte der Iran bei der WM 1998 in Frankreich, als er in der sogenannten Todesgruppe ausgerechnet auf die USA traf und dieses emotional so wichtige Duell tatsächlich 2:1 gewann. Zu einer erneuten Begegnung könnte es diesmal frühestens im Viertelfinale kommen. Für die iranischen Fußballer sollte das eigentlich Motivation genug sein.

SÜDKOREA

ALLGEMEINES

Trotz der wahrlich enormen Entfernung fühlt man sich als Deutscher den Koreanern irgendwie nahe: wegen des geteilten Landes. Speziell in Berlin gibt es da eine relativ große Empathie. Oder um es mit den Worten eines legendären Berliner Kammerjägers zu sagen: «Wir Geteilten müssen doch zusammenhalten.»

Tatsächlich muss man in Berlin auch gar nicht lange reisen, bis man quasi in Südkorea ist. Abgesehen von einigen koreanischen Restaurants liegt ein Stück Südkorea auch mitten in Kreuzberg. Die Karaoke-Bar Kim's am Mehringdamm.

Nach einem Besuch im Kim's weiß man schon ein wenig mehr über das Land. Vor allem: Der Südkoreaner hat große Freude am Lautsein, am Sehr-sehr-laut-und-lebensfroh-Sein. Der Einzige, der vielleicht noch lauter ist als der Südkoreaner, ist wahrscheinlich die Südkoreanerin. Zumindest in Kim's Karaoke Bar. Aber auch im richtigen Südkorea ist das wohl nicht anders. Ein Freund vertrat nach seinem Besuch in Seoul, der Hauptstadt Südkoreas, die Auffassung, Südkorea sei wahrscheinlich das einzige Land der Erde, das man vom Weltall aus hören könne.

Da den Südkoreanern die Lautstärke so viel Freude macht, haben sie große Lautsprecherboxen an der Grenze zu Nordkorea aufgebaut, aus denen sie den Nordkoreanern die Welt aus ihrer Sicht erklären, weshalb natürlich auch die Nordkoreaner riesige Boxen an der Grenze postiert haben, aus denen wiederum ihre Erkenntnisse über die Welt und die Dinge dröhnen. Klar, dass sich da die Lautstärke immer weiter hochgeschaukelt hat. Vor Jahren kam es zum Fahnenmastenstreit, bei dem beiderseits der Grenze immer höhere Masten errichtet wurden. Erst mehrere Unfälle mit gigantischen umstürzenden Fahnenmasten haben nach langwierigen Verhandlungen den Wettlauf der immer absurd höheren Masten beendet. Was doppelt sinnvoll war; denn welchen Nutzen hat schließlich ein Fahnenmast, der dermaßen hoch ist, dass man die Fahne praktisch gar nicht mehr erkennt oder sich zumindest der Unterschied zwischen der süd- und der nordkoreanischen Flagge ohne Teleskop überhaupt nicht mehr feststellen lässt?

GESELLSCHAFT

Südkorea ist ein Leseland, Literaturlesungen füllen ganze Stadien. Bildung wird dort tatsächlich immer, nicht nur vor Wahlen, als wichtigster Rohstoff angesehen. Den wirtschaftlichen Aufschwung der letzten Jahre verdankt man im Wesentlichen dem allen Schichten zugänglichen exzellenten Bildungssystem. In Sachen Alphabetisierung belegt man einen Spitzenplatz weltweit. Zudem haben die Koreaner, wie ich finde, einen sehr hübschen Humor.

Koreanisch war die erste Fremdsprache, in die meine Bücher übersetzt wurden. Daher habe ich schon seit einigen Jahren losen Mailkontakt mit südkoreanischen Lesern. Eine junge Studentin, die so ziemlich die Erste war, mit der ich Mails austauschte, schrieb mir letztes Jahr, sie reise im September endlich mal nach Berlin und würde sich sehr freuen, mich zu treffen. Ich antwortete, dies sei ohne weiteres möglich, woraufhin sie sehr charmant erläuterte, dass wir uns wahrscheinlich besser erkennen würden, wenn sie noch erwähnte, dass ihr bei unserem ersten Kontakt ein kleiner Fehler unterlaufen sei. Da habe sie doch versehentlich geschrieben, sie sei eine Deutschstudentin von Anfang zwanzig, und dummerweise zu allem Überfluss auch noch ein falsches Foto beigelegt. Der Irrtum sei ihr jetzt gerade aufgefallen. Tatsächlich sei sie eine ehemalige Lehrerin, Seniorenstudentin und schon über siebzig, und sie sehe ganz anders aus als auf dem Bild. Dieses Missgeschick täte ihr natürlich sehr leid. Sie könne sich beim besten Willen nicht erklären, wie es dazu kommen konnte ... Das Treffen in Berlin war dann sehr lustig, und ich würde mich aufrichtig freuen, wenn ich ihre Einladung zu einem Gegenbesuch in Seoul irgendwann einlösen kann. Allerdings hat es mich auch nachdenklich gemacht, als mir kurz darauf auffiel, dass praktisch alle meine südkoreanischen Mailbekanntschaften junge Deutschstudentinnen von Anfang zwanzig sind.

Tatsächlich mochte ich Korea schon als Kind irgendwie gerne. Wegen Bum-Kun Cha und wegen des Namens Korea, den ich so schön fand. Man muss leider auch erwähnen, dass die Selbstmordrate in Südkorea die höchste der Welt

Deutsch-südkorea-
nische Freundschaft.
In ihrem Buch ist mein
Foto.

ist. Sie rangieren da noch vor den Ungarn, von denen ja behauptet wird, es läge an der Sprache, dem Ungarischen, dass dort so viele Menschen den Freitod wählen. Woran es bei Südkorea liegt, weiß ich nicht. Ein (allerdings auch wirklich nihilistischer) Freund, dem ich davon erzählte, meinte jedoch: «Wahrscheinlich liegt das an ihrem hohen Bildungsgrad.»

Der durchschnittliche Südkoreaner erwacht am Morgen mit einem fröhlichen «Gangnam Style» auf den Lippen und tanzt dann in Formation einmal an der nordkoreanischen Grenze entlang. In der Regel heißt er Kim und ist damit für Europäer schwer zu unterscheiden. Die Spieler bei der Weltmeisterschaft sind Gott sei Dank durchnummeriert. Mittags legt er sich Gemüse ein, meistens so scharf, dass man davon niesen muss. Statt des europäischen «Hatschi» sagt der Koreaner allerdings «Kimchi». Geht der Tag zu Ende, ruft er mit seinem Samsung-Handy ein Hyundai-Taxi, um beim allabendlichen Gemeinschaftskaraoke mit großen und bunten Drachenmasken und -kostümen Apple zu ärgern und zu erschrecken. Die beiden besten Freunde des Koreaners sind Yin und Yang. Die sind nun wirklich bei praktisch allem dabei, was er so macht und denkt.

FUSSBALL

Südkorea hat traditionell eine Fußballnationalmannschaft, die immer stärker ist als erwartet. Das wird bei dieser Weltmeisterschaft nicht anders sein. Bei der WM im eigenen Land erreichte man das Halbfinale. Ansonsten blieben die ganz großen Erfolge bislang noch aus. Doch die aktuelle Generation südkoreanischer Fußballer könnte eine goldene sein. Oder wie der Südkoreaner wahrscheinlich sagen würde: die Generation Galaxy S4.

JAPAN

ALLGEMEINES

Japans japanischer Name, Nippon, bedeutet so viel wie «Land der aufgehenden Sonne». Wir stellen fest, um das kurze Wort Nippon (sechs Buchstaben) zu übersetzen, benötigen wir vier Wörter und dreiundzwanzig Buchstaben. Daran erkennt man bereits etwas für Japan sehr Charakteristisches: Praktisch alles dort hat eine viel größere Bedeutung, als es zunächst scheint. Ob es um Tee, Kleidung, die Begrüßung, Verabschiedung oder eine Entschuldigung geht: Ständig kommt es auf kleinste Gesten, Accessoires, Blicke oder auch nur Betonungen an. Die können enorme Unterschiede machen. Einmal den Kimono falsch gewickelt, und schon ist die Familie für Jahrhunderte entehrt. Da hilft dann nur noch ein Kotau, wenn überhaupt.

Wer jetzt aber denkt: «Jaja, die sind schon irgendwie komisch, diese Japaner», dem sei mitgeteilt, dass Japan fast zweihundertfünfzig Jahre, bis zur Mitte des 19. Jahrhunderts, kaum Kontakt mit der Außenwelt hatte. Nur ein wenig Handel mit China und den Holländern, die hierfür eine ganz kleine Insel vor Japan quasi als Kontor betreiben durften. Jetzt stellen Sie sich mal vor, Sie hätten zweihundertfünfzig Jahre lang zu niemand anderem Kontakt als zu

Chinesen und dann ausgerechnet auch noch zu Holländern. Wer würde da nicht ein bisschen komisch werden?

Japan, das sind eigentlich vier Inseln, die fast schon traditionell mit China über Kreuz liegen. Immer wieder versuchte man, sich gegenseitig zu erobern. Am dichtesten dran war wohl im 13. Jahrhundert Kublai Khan. Doch dann wurde seine Flotte von zwei Taifunen versenkt, die als göttliche Winde – Kamikaze genannt – bis heute eine große religiöse und mystische Bedeutung in Japan haben. Früher war es für einen Japaner das Größte überhaupt, Samurai zu werden und Dörfer vor Banditen zu beschützen. Doch als dann sogar Richard Chamberlain und Tom Cruise das Samurai-Handwerk erlernten, verlor die Sache für die Japaner ihren Zauber.

Der berühmteste Japaner ist Godzilla, auch wenn der laut Kulturwissenschaftlern nur eine Metapher ist, zum Beispiel für die Atombombe oder die vielen Erdbeben.

Jahrelang wurde uns in Deutschland gesagt: «Guck mal, der Japaner! Wie die Japaner das machen mit der Wirtschaft, die machen das richtig. Wir müssen so werden wie die Japaner!» Als Hauptgründe wurden immer genannt: «Der Japaner kennt keine Gewerkschaft.» Und: «Der Japaner arbeitet vierzehn Stunden am Tag, und das voller Freude, Stolz und für wenig Geld.»

Mittlerweile plagt sich der Japaner seit über fünfzehn Jahren mit einer der furchtbarsten und langwierigsten

Wirtschaftskrisen herum, die je ein Industriestaat erlitt. Seitdem wird bei uns nicht mehr so gerne auf das Beispiel Japan verwiesen.

Trotzdem ist Japan aus deutscher Sicht immer noch das vielleicht fremdeste und gleichzeitig faszinierendste Land der Welt. In meinem gesamten Bekanntenkreis gibt es niemanden, der nicht unbedingt irgendwann nach Japan reisen will, und sei es auch nur, um einmal wirklich «lost in translation» zu sein.

TAGESABLAUF

Der Japaner steht am Morgen ganz, ganz früh auf und fängt erst mal einen frischen Fisch, den er dann kleinhackt und roh in Reis und Seetang wickelt, woraus er kleine Röllchen schneidet, die er auf farbige Tellerchen legt, welche er danach auf ein Laufband stellt, das durch die ganze Wohnung läuft, und von dem er sich im Laufe des Tages immer mal ein Tellerchen runternimmt, bis er am Abend die Farben der Teller zusammenzählt und sich selbst das Sushi bezahlt.

Manchmal fängt er morgens auch Wale, aber natürlich nur zu Forschungszwecken, was man schon an ihrer Zubereitung erkennt. Denn Fisch ausnahmsweise zu kochen oder zu braten, wie er es mit den Walen macht, ist für den Japaner sehr ungewohnt und somit reine Forschung und Wissenschaft. Wobei Wale natürlich im engeren Sinne keine Fische sind und die Formulierung «im engeren Sinne» bei Walen sowieso irgendwie unpassend erscheint. Den Rest des Vormittags arbeitet der Japaner in seinem japanischen Garten oder schreibt dem Vermieter ein geharnischtes Haiku, dass das Pagodendach mal wieder undicht ist oder die Papierschiebewände schleifen und dringend neu bezogen werden sollten. Dann jedoch zerknüllt er den Brief und schreibt alles noch mal sehr höflich, zurückhaltend und freundlich, denn er ist extrem stolz und würde nie jemandem erlauben, seinen Zorn oder Kummer mit ihm zu teilen. Vielleicht tippt er dem Vermieter aber auch nur eine SMS mit einem seiner statistisch gesehen 4,2 Mobiltelefone, die ihn weltweit führend im Besitzen von Handys machen. Wenn er sich aber mal gar nicht beruhigen kann, kocht er sich einen schönen Kirschblütentee oder lässt ihn sich kochen, am besten von einer Geisha und im Teehaus, traditionell mit allem Drum und Dran, was dann auch mal den ganzen Tag dauern kann. Und während er auf den Tee wartet, malt er vielleicht ein paar Mangas, tauscht Pokémon-Karten, schreibt verstörende Romane, dreht nachdenkliche Filme oder wandert schnell mal auf den Fudschijama – dann aber ist der Tee auch schon fertig. Essen tun die Japaner nie viel. Die wenigen Japaner, die sehr viel essen können, werden deshalb auch sehr verehrt, nennen sich Sumo-Ringer und sind berühmter als Popstars. Die Bravo in Japan ist dreimal so dick wie hier – wegen der Poster von den Sumo-Ringern.

FUSSBALL

Die aktuelle japanische Nationalmannschaft ist die stärkste aller Zeiten. Nach jahrelanger Aufbauarbeit sind die japanischen Fußballer nun in der Weltklasse angekommen.

Oder, wie es ein Freund formuliert hat: «Im Prinzip machen es die Japaner bei den Fußballern genauso, wie sie es früher mit Chips und Mikroelektronik gemacht haben. Sie gucken sich an, was es im Westen gibt, lernen und bauen es dann nach. Nur eben viel kleiner, besser, schneller und ausdauernder ...»

Das größte Problem für den japanischen Trainer ist allerdings der traditionelle Respekt der Jüngeren vor dem Alter. Gerade im Spiel gegen eine Mannschaft wie den Vorrundengegner Griechenland könnte es passieren, dass die jungen Japaner den traditionell eher älteren Griechen aus reiner Höflichkeit den Ball überlassen. Aber ausruhen sollten sich die Griechen auf dieser japanischen Tradition lieber nicht. Die japanischen Frauen beispielsweise sind sehr überraschend Weltmeisterinnen geworden, das will ich nur noch mal angemerkt haben.

DIESMAL LEIDER NICHT DABEI

Der Däne wohnt in einem Haus, das er sich aus bunten Legosteinen gebaut hat und aus denen man ebensogut beispielsweise einen Hubschrauber hätte bauen können. Doch was will der Däne schon mit einem Hubschrauber, wo sein Land doch praktisch keine Berge hat und so flach ist, dass es reicht, sich auf einen Stuhl zu stellen, um es ganz zu überblicken?

Man sagt: «Dänen lügen nicht», aber das ist umstritten, schließlich gibt es auch die Formulierung «Der Wahrheitsbegriff ist dänbar». Der durchschnittliche Däne steht morgens früh auf, isst einen leckeren knallroten Pölser im pappigen Weißmehlbrötchen, trinkt eine Flasche Wildbeer und dann zur Verdauung einen Aquavit. Sollte er nach dem Aquavit wieder Hunger bekommen, gibt es Smörrebröd, bis die kleine Meerjungfrau weint. Wenn er dann aber doch mal satt ist, weiß er oft den ganzen Tag nicht, was er machen soll. In Dänemark gibt es nämlich nicht sehr viel zu tun. Außer aufs Meer gucken. Der Däne steht am Meer und ruft ihm motivierende Dinge zu, damit die Flut weiß, es ist wieder Zeit zu steigen. Das Meer kommt immer wieder gern nach Dänemark zurück, denn im Aufmuntern und Anfeuern ist der Däne wirklich extrem gut.

Er ist sozusagen der Südländer unter den Skandinaviern, haut locker mal Klopper raus wie «We are red, we are white, we are Danish dynamite!» und redet überhaupt doppelt so viel wie die anderen Skandinavier, was aber nichts heißen will, da die anderen Skandinavier praktisch gar nicht reden. Das ist schade, weil die dänische Sprache eigentlich ganz süß klingt, was niemand besser weiß als die Deutschen, die ja in Schleswig-Holstein zu einer kleinen Minderheit auch Dänen sind.

Wenn der Däne Filme macht, gehen die meistens nicht gut aus. Der mit Abstand berühmteste Däne neben all den Filmemachern, Schauspielern, Hand- und Fußballern ist natürlich Hamlet. Der ist aber eigentlich von Shakespeare, einem Engländer. Das ist so ähnlich wie bei dem berühmtesten Liebespaar der Italiener, Romeo und Julia, oder dem Schweizer Volkshelden Wilhelm Tell, wo es ein Deutscher war, nämlich Schiller, der quasi die offizielle Biographie schreiben musste.

Der wichtigste ökonomische Faktor in Dänemark neben der Lego- und der Smörrebrödproduktion ist die «Nach-Deutschland-zum-Einkaufen-fahren»-Industrie. Damit sind ganze Familien beschäftigt.

Wenn Dänen nach Mittel- oder Südeuropa kommen, sind sie häufig den ganzen Tag betrunken. Aus Sparsamkeit. Weil in Skandinavien der Alkohol so teuer ist. Das ist überhaupt das Tolle an Skandinavien. Da dort der Alkohol so teuer ist, gelten betrunkene und erst recht häufig betrunkene Menschen als sehr, sehr wohlhabend und genießen allergrößtes Ansehen. Beneidenswert.

1992 wurde der Däne mal Europameister, obwohl er sich gar nicht qualifiziert hatte. Damals durfte er wegen des Balkankriegs für das qualifizierte Jugoslawien nach-rücken. Insofern beobachtet er nun, da er sich wieder nicht qualifiziert hat, die politischen Entwicklungen in Europa natürlich ganz genau. Spekulationen allerdings, er würde beispielsweise mit seinen vielfältigen Immobilienkäufen gezielt die Ressentiments zwischen Schwaben und Zu-gezogenen aus anderen Bundesländern in Berlin schüren, um bei einem sich verschärfenden Konflikt Deutschlands Platz einzunehmen, darf man wohl getrost in das Reich von Andersens Märchen verweisen.

Der durchschnittliche Schwede ist groß, blond und wohnt in einem Holzhaus. Die Schweden reden nicht gern. Deshalb haben sie das Knäckebrot erfunden. Dann müssen sie beim Frühstück nicht reden, und trotzdem gibt es eine ordentliche, kommunikative Geräuschkulisse. Erfreulicherweise klingt ihre Sprache ohnehin fast genau so wie ein Schwede, der Knäckebrot frühstückt. Ein Nichtschwede kann den Unterschied kaum hören.

In Schweden gibt es wie in Deutschland die schöne Redensart «die Nacht zum Tag machen». Nur heißt es dort «Natten till dag do». Während der Schwede mit seiner Mittsommernacht bei diesem Vorhaben wenigstens einmal im Jahr wirklich erfolgreich ist, erweist sich der Deutsche dabei doch eher als Maulheld.

Dennoch ist höchste Vorsicht geboten, wenn ein Schwede im Spätherbst sagt: «Kom igen, är att vi dricker upp det igen bara ljusa.» Also: «Komm, wir trinken nur noch, bis es hell wird.» Oder: «Komm, lass uns die Nacht durchmachen.» Das kann sich schnell mal bis März hinziehen. Schafft es ein Deutscher tatsächlich, mit einem Schweden eine solche Nacht durchzumachen, erhält er hinterher den Ehrentitel «Alter Schwede!», sieht dann allerdings auch so aus.

Des Schweden liebste Freizeitbeschäftigung ist das Puzzeln. Da seine Hände sehr groß sind, sind auch seine Puzzleteile riesig und aus Holz. Ein fertiges Puzzle nennt der Schwede Möbel. Weitere wichtige Wirtschaftszweige in Schweden sind die Elchmast und die Nobelpreisindustrie.

Alle Möbelstücke in Schweden haben Namen. Das ist süß. Und wenn man auf den Regalen Ivar, Billy oder Sten ein wenig Knäckebrot zerreibt, klingt es sogar fast so, als könnten sie sprechen.

Wenn der Schwede in Deutschland zum Essen einlädt, gibt es Hotdogs, auf die man dann selbst Gurken, Soßen und Röstzwiebeln draufladen kann. Draufladen ist hier wörtlich zu nehmen – viele stapeln die Zutaten mehrere Zentimeter hoch auf ihren Hotdog, sodass ihnen schon beim ersten Biss fast alles in den Ausschnitt, aufs Hemd oder auf die Schuhe pladdert. Die beliebteste Fernsehshow in Schweden heißt «Köttbullar und Preiselbeeren», was frei übersetzt so viel heißt wie: «Wir schauen mit versteckter Kamera den Deutschen in unseren Möbelhäusern zu, wie sie sich beim Hotdog-Essen total bekleckern.» Manch deutscher Hotdog-Esser und Sichbekleckerer weiß vielleicht gar nicht, was für ein großer Fernsehstar er in Schweden ist.

Der Schwede schreibt sehr viele Krimis. Die sind praktisch immer so, dass man danach keine Lust mehr hat, mal nach Schweden zu fahren, und sich auch grundsätzlich ein wenig Sorgen um den Schweden an sich macht. Wenn der Schwede eine Frau ist, schreibt sie lieber Kinderbücher und erzählt von starken Mädchen mit Sommersprossen und

Zöpfen. Die sind so phantastisch, dass man dann doch wieder Lust bekommt, Ferien auf Saltkrokan oder in Bullerbü zu machen.

Als der Schwede noch Wikinger war, war er sehr, sehr mächtig. Theoretisch hätte er damals die ganze Welt erobern können, aber leider war zu der Zeit der Globus, das heißt die Rundheit der Erde noch nicht erfunden, weshalb seine Schiffe immer im entscheidenden Moment von der Erdscheibe fielen. Das kann man heute alles in den Comics zur Kinderserie «Wickie und die starken Männer» nachlesen. Und weil Schwedens König Gustav Adolf mit seinem Pagen Liselotte Pulver am Dreißigjährigen Krieg teilgenommen hat, bin ich heute evangelisch. So verrückt ist Geschichte.

In der WM-Qualifikation sind die Schweden an Deutschland gescheitert, nehmen also nun mit ihrem König Zlatan I. nicht teil. Eigentlich schade, denn ich habe ein recht liebevolles, persönliches Verhältnis zu diesem Land: Meine erste wirkliche Beziehung hatte ich mit einer Schwedin. Sie hieß Agnetha und war Sängerin bei der Popgruppe ABBA. Wir kannten uns von dem Poster, das an der Wand meines Jugendzimmers hing. Dann haben wir uns aus den Augen verloren. Kürzlich jedoch hat Agnetha mir geschrieben, weil sie mich im Fernsehen gesehen hat, wie ich einen Hotdog esse und mich bekleckere. Vielleicht treffen wir uns demnächst mal.

Jaja, so ist das mit dem Schweden. Darauf ein doppelt «Heja! Heja!» oder auch ein «Zweimal drei macht vier, widdewiddewitt, und drei macht neune! Heja!»

ÖSTERREICH

Auch die Österreicher haben sich wieder einmal nicht für die Fußballweltmeisterschaft
qualifizieren können. Dass recht viele
Nachbarstaaten teilnehmen, ist für sie
umso bitterer. Tatsächlich ist Österreich
das europäische Land, das an die meisten
WM-Teilnehmer angrenzt, ohne selbst bei
der Weltmeisterschaft dabei zu sein. Irgendwie
ist es ja auch ganz schön, dass Österreich so doch noch einen regulären Bezug zum WM-Turnier hat. Falls Kroatien
große Erfolge feiern sollte, würden sicher viele Kroaten
aus Deutschland zum großen, alles übertrumpfenden
Autokorso nach Zagreb reisen. Das wäre für die Österreicher ja auch belebend, wenn dann ganz, ganz viele ju-
belnde Kroaten laut hupend durch ihr Land fahren würden; so bekämen sie immerhin ein bisschen WM-Gefühl,
Lebensfreude und Gänsehaut ab. Wenn es für Kroatien
nicht klappt, können stattdessen ein paar Deutsche oder
Schweizer jubelnd und hupend durch Österreich fahren,
um den Leuten dort eine kleine Freude zu machen, sie ein
Stück weit am WM-Glück teilhaben zu lassen. So würde
man den Österreichern im Übrigen auch zeigen, dass die
Zeit blödsinniger Häme nun wirklich vorbei ist. Wir sind,
genauso wie die Schweizer, längst einfach gute Nachbarn
der Österreicher, die die Freude teilen wollen und dem

anderen von Herzen alles Glück wünschen. Tu felix Austria!

Dass Deutschland und Österreich heute ein so gutes Verhältnis haben, ist ja keine Selbstverständlichkeit, die Beziehung galt nie als so ganz einfach. Dabei war der Austausch zwischen diesen beiden Ländern immer sehr rege: Die Österreicher haben von Deutschland die Kaiserin Sissi bekommen, die Deutschen von Österreich Adolf Hitler. Na, schönen Dank auch. Wobei es nun natürlich auch albern und abgeschmackt ist, Österreich immer wieder auf das Geburtsland Adolf Hitlers zu reduzieren. Damit muss auch mal Schluss sein. Als wenn Österreich nicht auch für vieles andere stünde! Längst fallen einem zu Österreich doch auch Namen wie der Natascha-Kampusch-Entführer Priklopil oder Vater Fritzl ein. Eigentlich seltsam, dass der Kannibale von Rotenburg nicht auch Österreicher war. Aber irgendwie wirkt es langsam schon folgerichtig, dass Sigmund Freud aus Österreich kam.

Dabei sind die Österreicher doch eigentlich wirklich liebenswerte Menschen. Ein guter Freund aus Salzburg, der hier namentlich nicht genannt werden möchte, weil er fürchtet, dieses Buch könnte auch in Österreich gelesen werden, beschrieb es mir so: «Der Österreicher ist immer ausgesprochen freundlich, höflich und zuvorkommend, meint es aber nicht so. Dafür kann er einen ordentlichen Schmäh vertragen, solange er sich nicht gegen ihn richtet.»

Ich lass das mal so stehen. Alle Österreicher, die ich kenne, tun nur immer so, als seien sie abgebrühte Drecksäcke, sind aber trotz des inneren Abscheus gegen alles Gefällige im Grunde herzensgute Menschen, wofür sie sich vermutlich selbst am meisten hassen. Gut, die deutschen Piefkes können sie wirklich nicht ausstehen, und von den Schweizern wollen wir gar nicht erst anfangen, aber sonst sind die Österreicher schon Leute wie du und ich.

Die Stadt ihres Herzens ist Wien. Ihr liebster Ort dort der Zentralfriedhof. Hier zieht es sie hin, hier möchten sie sein, und bis es so weit ist, wird man sich die Zeit schon noch irgendwie beim Heurigen vertreiben können. Einer isst Sachertorte, einer fährt Fiaker, und der dritte Mann spielt Schrammelmusik. Und selbst wenn im Prater wieder die Bäume blühn, möchte der Österreicher am liebsten mit Georg Kreisler Tauben vergiften gehen oder wie Thomas Bernhard auf dem Heldenplatz herumschimpfen. Da muss man ihn doch wieder lieben, den Österreicher, dem schon das Kaiserreich zerfallen ist und der immer noch von wei-ßen Lipizzanern träumt. Wirklich glücklich ist er sowieso nie, will er auch gar nicht sein. Ihm reicht es, nicht ganz un-glücklich zu sein.

Und doch, da gibt es etwas, womit man ihm eine rich-tige Freude machen kann, wo er geradezu überschäumt vor Glück: wenn man sich als Deutscher mit ihm hinsetzt und noch einmal gemeinsam das Video von Córdoba 78 anschaut. Die letzte halbe Stunde genügt. Dann wird er narrisch! Wenn da der Krankl Hans noch mal – dann wird er narrisch! Einmal habe ich das einem Österreicher zum Geburtstag geschenkt. Also, dass ich mir mit ihm dieses Spiel noch mal angeschaut habe. Seine Dankbarkeit dafür war größer als die Alpen.

Türken steigen, wenn sie etwas zu feiern haben, in ihr Auto und fahren hupend den Kurfürstendamm rauf und runter. Gibt es in ihrer Heimatstadt keinen Kurfürstendamm, fahren sie irgendeine andere Straße rauf und runter und träumen, es wäre der Kurfürstendamm.

Sie machen das sehr gerne. Meistens weil ihre Nationalmannschaft im Fußball gewonnen hat. Hat ihre Mannschaft mal nicht gewonnen, muss dann eben jemand heiraten.

Die Deutschen würden sich oft auch gerne so ausgelassen freuen können, aber während die Türken lachend Fahnen schwenken und aus allen Fenstern hängen, belassen sie es dabei, Fahnen-Winkelemente mit den deutschen Nationalfarben an ihrem Auto zu befestigen, und freuen sich dann wohl irgendwie mehr nach innen. Dafür kann der deutsche Autofahrer auch hupen, ohne sich zu freuen.

Falls der männliche Türke in Berlin lebt, verbringt er seine Kindheit damit, im Innenhof zu stehen und so laut wie möglich «Anne!» zu schreien. Das ist so Tradition. Wenn er laut genug schreien kann und ein Mann ist, darf er seinen Führerschein machen. Dann wartet allerdings eine weitere Prüfung auf ihn: Er muss im Auto türkische Musik in der Lautstärke von zwei startenden Flugzeugen aushalten und mit geöffneten Fenstern zwei Jahre lang ununterbrochen durch städtische Wohngebiete fahren – oder zumindest mit laufendem Motor und laufender Musikanlage längere Zeit in zweiter Reihe stehen und schlechtgelaunt auf irgendwas warten. Danach gilt er als geschlechtsreif und darf langsam wieder zur Vernunft kommen. Die deutsche Autoradio-, Lautsprecher- und Bassverstärker-Industrie könnte ohne junge Türken längst nicht mehr überleben.

Der berühmteste Türke in Deutschland ist wahrscheinlich der Döner. Allein in Berlin gibt es über vierhundert Dönerbuden. Dreiundsiebzig davon verkaufen den besten Döner der Stadt. Der Berliner weiß natürlich auch längst, wie vielfältig die türkische Küche ist. Es gibt sie mit und ohne Soße. Türkisches Gebäck und türkischer Honig sind in der Regel sehr süß und am Schlesischen Tor in Kreuzberg vierundzwanzig Stunden am Tag erhältlich. Türkischer Kaffee ist weltberühmt, allerdings trinken alle Türken, die ich kenne, Tee. Daran erkennt man, der Türke hat nach wie vor auch viele Geheimnisse, die wir so gar nicht verstehen.

Früher hätte der Türke fast mal ganz Europa erobert, war sogar schon in Österreich. Aber um nach Deutschland zu kommen, hätte er durch Bayern gemusst, und das war ihm die Mühe dann doch nicht wert. Wer will es ihm verdenken?

Heute würde der Türke gern zu Europa gehören, doch weil er nicht so viele Rohstoffe wie manch anderer besitzt, muss er eben mehr Menschenrechte einhalten, um seine Chancen zu erhöhen und internationale Anerkennung zu kriegen. Das fällt ihm nicht immer leicht.

Die besten türkischen Fußballer kommen inzwischen

fast alle aus Deutschland, und viele deutsche Komiker sind Türken. Oder zumindest gefühlte Türken. Denn die meisten Türken, die ich so kenne, sind und waren eigentlich schon immer Deutsche oder *auch* Deutsche. Dann gibt es natürlich noch die ganzen Türken, von denen man auf Nachfrage erfährt, dass sie Libanesen, Iraker, Jordanier oder noch ganz anderer Herkunft sind. Das ist oft verwirrend, aber zumindest die Türken nehmen es ja mittlerweile mit Humor.

Polen ist wunderschön. Wer schon einmal da war, weiß das. Wer noch nicht da war, sollte einfach mal hinfahren und wird sehen. Boarhh, Polen ist praktisch wie ein riesiges Brandenburg oder Mecklenburg-Vorpommern, nur nicht ganz so dicht besiedelt. Also eben wunderschön.

In Deutschland standen die Polen ja lange Zeit in dem Ruf, faul zu sein. Diese Meinung hatten international gesehen aber bloß die Deutschen. In England etwa gibt es den Merksatz: «Wenn du willst, dass eine Arbeit vernünftig getan wird, beauftrage einen Polen.» Und tatsächlich gelten Polen andernorts als die Schwaben Osteuropas, wobei sie in Berlin wiederum natürlich deutlich beliebter sind als die Schwaben.

Es gibt jedenfalls viele Gemeinsamkeiten. Über Polen sagt man, sie seien fleißig, zuverlässig, sparsam und schnell. Also zumindest Handwerker halten sich immer an den Zeitplan und ans Budget. Außerdem haben sie genauso wie die Schwaben viele lustige Sch-Laute in ihrer Sprache.

«My, na pewno przegramy» ist ein typischer polnischer Satz. Übersetzt bedeutet er: «Wir werden bestimmt verlieren.»

Die Polen sind das wahrscheinlich pessimistischste, missmutigste und selbstkritischste Volk der Welt. Die Vorstellung, etwas könnte gutgehen oder man könnte mal Glück haben, ist dem Polen von Grund auf fremd. Letzten Sommer saß ich an einem sehr heißen Tag mit einem Polen vor einem frischen, kühlen, feinen Bier. Eine Situation also, die ich mit als das größte Glück auf Erden beschrieben hätte. Doch der polnische Freund sagte plötzlich erschütternd traurig: «Ah, bestimmt werde ich nach dem Bier immer noch Durst haben. Bestimmt. Ist immer.»

Für Polen ist das Glas nicht nur halbleer, es ist praktisch nie etwas drin gewesen. Also eigentlich ist da sogar nicht einmal ein Glas.

Derselbe polnische Freund sagte mir kürzlich: «Weißt du, warum der Euro diese riesigen Probleme hat? Weil Polen ihn unbedingt wollte. Da haben die anderen europäischen Völker gesagt, bevor wir den Polen den Euro geben, machen wir ihn lieber kaputt. Wenn wir den Euro noch bekommen, dann wird man uns wahrscheinlich nur griechische Euro geben. Griechenland und Polen werden die letzten Länder mit Euro sein, während alle anderen Länder bei sich längst den harten, stabilen Złoty eingeführt haben.»

In Tschechien sagt man, egal, wo man auch hinkomme, es sei vorher immer schon ein Pole da gewesen. Diese Erfahrung musste auch Kardinal Ratzinger machen, als er Papst wurde.

Grundsätzlich gilt: Deutsch-polnische Freundschaft kann es nie genug geben. Dennoch gibt es in Deutschland immer noch viele Polenwitze. Noch mehr Polenwitze als in Deutschland gibt es eigentlich nur in Polen. Der Pole ist eben auch sehr selbstironisch.

Dass Polen sich nicht für die Weltmeisterschaft qualifizieren würde, wusste mein Freund natürlich schon lange, lange vorher. Das sei eigentlich schon klar gewesen, bevor dieser ganze Fußball überhaupt erfunden worden sei. Daher hat er sich auch leicht damit abgefunden und der Sache mit seinem sonnigen Gemüt positive Seiten abgewinnen können. So sagte er mir: «Ist gut, dass wir da nicht hinfahren. Wir hätten ja sowieso jedes Spiel verloren. Ist immer.»

Der einzige Satz, den ich so richtig auf Polnisch kann, stammt übrigens aus einem Reiseführer. Dort stand, es sei sehr wichtig, ihn in der Landessprache zu beherrschen. Er heißt:

«Ja piję wódkę, Pan amputuje!»

Also: «Ich trinke Wodka, Sie amputieren!»

Diesen Satz in der Landessprache zu beherrschen ist wahrscheinlich immer wichtig. Überall.

Die Iren leben auf einer grünen Insel, wo es jeden Tag Irish Stew mit Irish Coffee gibt. Aus dieser Ernährung ergibt sich häufig ein recht beeindruckender Außengeruch, den der Ire aber mit einem kräftigen Hieb aus der Irisch-Moos-Flasche zu bekämpfen weiß. In meiner Kindheit war Irisch Moos das berühmteste Rasierwasser Deutschlands. Es brannte wie Hölle und diente heranwachsenden Männern zur pubertären Angeberei. Nur die Härtesten schütteten sich das scharfe Irisch Moos ins frisch rasierte Gesicht. Eigentlich hätte man sich damals gar nicht rasieren müssen, Irisch Moos hätte den Bartflaum auch ganz von alleine weggeätzt.

Die Iren gelten als außerordentlich stur. Ein irischer Bekannter, dem ich einmal versehentlich sagte, Iren seien tendenziell ja eher stur, sprach daraufhin kein Wort mehr mit mir. Obwohl ich mich seitdem bereits mehrfach entschuldigt habe, weigert er sich bis heute, mit mir zu reden, weil ich fälschlicherweise behauptet hätte, Iren seien stur. Seit einiger Zeit redet er immerhin wieder Keltisch mit mir, was eine der skurrilsten und unverständlichsten Sprachen überhaupt ist. Er ließ mir nun von gemeinsamen Bekannten ausrichten, wenn ich es wirklich ernst meinte, könnte ich ja einfach Keltisch lernen, vielleicht würde er mir dann glauben, dass meine Entschuldigung ernst gemeint sei.

Irland ist auch das Land der Leprechauns und Kobolde. Falls man da zufällig mal einen Kessel voll Gold rumstehen sieht: lieber nichts rausnehmen. Meistens geht das nicht gut aus.

Die Iren singen gern. Sehr gern. Während der Fußballweltmeisterschaft 2002 durfte ich einige Tage in Düsseldorf verbringen und wohnte in einem Hotel direkt schräg gegenüber eines Irish Pubs, in dem sich auch eine größere Gruppe Iren für die Dauer der WM einquartiert hatte. Das war ein Erlebnis. Ich hätte nie gedacht, dass man so lange am Stück singen kann. In diesen drei Tagen und Nächten habe ich sehr viel über Irland gehört und gelernt. Am meisten im Gedächtnis geblieben ist mir aber, dass Iren sehr viel weniger Schlaf brauchen als ich. Offensichtlich brauchen sie sogar gar keinen Schlaf. Zumindest wenn sie ihren Jahresurlaub in einem Pub in der Düsseldorfer Altstadt verbringen. Dachte ich. Bis ich in der dritten Nacht entnervt rübergegangen bin und sehen musste: Alle Iren und sonstigen Besucher dieses Pubs schlafen. Aber sie singen und trinken trotzdem. Im Schlaf. Wenigstens sah es so aus. Das beeindruckte mich sehr.

Seit 2008 trainierte übrigens Giovanni «Flasche leer» Trapattoni die irische Nationalmannschaft. Der ist so etwas wie der Rehhagel Italiens und mindestens so stur wie Rehhagel und die Iren zusammen. Als Irland sich für die WM in Brasilien nicht qualifizieren konnte, wurde er entlassen. Ob er deshalb auch, so wie Rehhagel, irgendwann mal zur Strafe als Trainer zu Hertha BSC muss, ist noch unklar. Und wer nun denkt, Irland ist ja nicht dabei, da kann ich mir während der WM ruhig ein Zimmer in der Nähe eines Irish Pubs nehmen – ich wäre mir da nicht so sicher. Früher oder später findet der Ire bei jeder WM ein paar feine «boys in green», über die er dann ausgiebig singen kann. Und falls nicht, braucht er aber eigentlich auch keine Weltmeisterschaft zum lauten Geselligsein. So ist er nämlich, der Ire.

CHINA

China, das Reich der Mitte, war erst ein einziges Mal bei einer Fußballweltmeisterschaft dabei. Und das ausgerechnet bei der WM 2002, die von seinen alten Rivalen Südkorea und Japan ausgerichtet wurde. Damals haben die Chinesen kein einziges Tor erzielt – also mal ein Bereich, wo China noch viel Luft zum Aufholen hat. Dass China im Fußball anders als in fast allen anderen Sportarten so sehr hinterherhinkt, ist für einen chinakritischen Freund von mir der Beweis, dass Doping im Fußball nichts bringt. Meine Meinung dazu: «Schön wär's!» Sonst könnte man ja – nur weil China im Fußball erfolglos bleibt – mit derselben Berechtigung schlussfolgern, dass knallhartes, brutales, rücksichtsloses Training nichts bringt.

Vom Fußball abgesehen, ist das Reich der Mitte natürlich daran gewöhnt, die Nase vorn zu haben. So übrigens auch bei der Zahl seiner Nachbarländer – vierzehn sind Rekord, nur Russland hat ebenso viele.

Jeden Morgen macht der Chinese als Erstes seinem einen Kind eine original Berliner Frühstücksschrippe. Die Baupläne für die Berliner Schrippe hat er sich einfach aus dem Internet runtergeladen, und jetzt baut er sie eben Morgen für Morgen nach, so lange, bis es irgendwo auf der Welt noch bessere Brötchen geben wird. Dann baut er die nach. Der Chinese baut eigentlich alles nach. Teilweise sogar ganze Schweizer Bergdörfer und Seen oder Kuckucksuhren aus dem Schwarzwald. Sein Land ist zwar riesengroß, aber manchmal fragt man sich schon, wo der Chinese all das lässt, was er so nachbaut. Auch was genau sein Ziel dabei ist, ist teilweise noch unklar. Nehmen wir nur diese Bergdörfer, die er nachbaut. Wahrscheinlich werden seine Schweizer Bergdörfer irgendwann viel besser und billiger sein als die Originale, und dann wird er sie in die Schweiz exportieren, und die alten Schweizer Bergdörfer können gar nicht mehr mit den neuen, nur halb so teuren Schweizer Bergdörfern konkurrieren, und irgendwann wird es sich nicht mehr lohnen, überhaupt noch Schweizer Bergdörfer in der Schweiz zu produzieren, weshalb die Schweiz all ihre Bergdörfer aus China beziehen wird, und dann wird es da aber eine schöne Kulturrevolution geben. Schon jetzt exportiert der Chinese ja derartig viel, dass er gar nicht mehr weiß, wohin mit seinem Exportüberschuss. Deshalb kauft er in seiner Not den USA ihr ganzes Geld ab und beispielsweise in Afrika alles Land, was er kriegen kann. Wahrscheinlich um da auch irgendwann Schweizer Bergdörfer zu produzieren.

Wenn das Kind in der Schule ist, staubt der Chinese seine Terrakotta-Armee ab oder bastelt Papierdrachen für Neujahr. Der Chinese hat dermaßen viel Kultur und Geschichte, dass es gar keinen Zweck hätte, hier mit der Aufzählung anzufangen, obwohl Laotse sagt: Auch der längste Weg beginnt mit einer ersten Müdigkeit oder so ähnlich. Am Nachmittag üben alle Chinesen ein wenig Kung Fu. Es gibt übrigens ein großes Wohnungsbauproblem in China, da beim ständigen Kung-Fu-Üben der Großteil der staatlichen Ziegelproduktion entzweigeschlagen wird. Früher wurden alle kaputten Ziegel für den Bau der weltberühmten Mauer benutzt, von der aus man sogar den Mond sehen kann. Und andersrum.

Wenn man sich anmeldet, darf man mittlerweile sogar die Verbotene Stadt angucken, über die ich hier aber lieber nichts verraten möchte, um nicht unnötig chinesisches Porzellan zu zerschlagen. Nur so viel: Wenn man mal da ist, hält man sich am Ende gern für den Kaiser von China. Aber die Chinesen sind eigentlich sehr freundliche Menschen, es sei denn, man ist anderer Meinung als sie oder Nepalese oder beides.

Am Abend dann werden die Pandas gefüttert, bevor alle zusammen in den Staatszirkus gehen und auf dem Heimweg zwischen all den bunten Lampions noch das große Feuerwerk anschauen.

Schließen möchte ich mit Konfuzius: «Wenn du kein Ende findest, höre einfach mit einem Zitat von mir auf. Das geht immer, und es gibt ja eigentlich auch nichts, was ich nicht irgendwann gesagt hätte.»

Jaja, so ist das mit dem Chinesen.

ÄGYPTEN

Natürlich ist Ägypten zur Zeit auf einem schwierigen Weg und hat ganz andere Probleme als Fußballweltmeisterschaften, aber dabei gewesen wäre man schon gern. Und bedenkt man den gemeinschaftsstiftenden Effekt, den solche Sportgroßveranstaltungen in der Bevölkerung haben können, wäre die Teilnahme des Landes sogar wünschenswert gewesen.

Der Ägypter steht selbstverständlich für eine der ältesten und beeindruckendsten Hochkulturen der Menschheit. Oder, um es mit den Worten meines ehemaligen Mitschülers Bernd Kohlmeier zu sagen: «So Pyramiden wie die da unten, die musste aber erst mal bauen. Die sind schon echt 'ne Leistung, auch wenn die da jede Menge Sklaven für hatten. Ich mein, die ham das ja nu auch nich von allein gemacht.» Das kann man so sehen.

Der durchschnittliche Ägypter steht jeden Morgen zeitig auf und nimmt ein schönes Bad im Nil. Wenn er eine Frau ist, badet sie auch schon mal gern in Eselsmilch und ist legendär schön. So schön, dass ihr Julius Cäsar verfallen ist, Mark Anton und auch noch einige andere, obwohl Kleopatra bei weitem nicht so häufig verheiratet war wie Liz Taylor, die ihr ziemlich ähnlich gesehen hat. Kleopatras ganz große Liebe waren aber dann doch wohl Asterix und

Obelix, die allerdings versehentlich die Nase der Sphinx abgeschlagen haben, und eigentlich ist ja diese Geschichte mit der Sphinx schon grundsätzlich voller Rätsel.

Vormittags balsamiert der Ägypter einige Mumien ein oder dreht im Schatten der Gizeh-Pyramide Zigaretten. Mittags hat er normalerweise frei, es sei denn, irgendwelche Grabräuber (meist Engländer oder Franzosen, manchmal aber auch deutsche Nazis) haben wieder irgendwo einen Fluch ausgelöst, dann kriegt der Ägypter natürlich so einen Hals, weil das heißt, er muss jetzt zu irgendeiner verschollenen, geheimnisvollen Stadt und da zum Beispiel einen Skorpionkönig mit magischen Kräften besiegen, was ja für sich genommen schon nervig ist. Aber das Blödeste dabei ist natürlich, dass am Ende doch wieder nur irgendwelche europäischen oder amerikanischen Stars die Hauptrollen und schönen Frauen bekommen.

Am Abend fährt der Ägypter schnell beim Suez vorbei, um sich zu vergewissern, dass die da den Kanal noch lange nicht voll haben, ehe er vor dem Schlafengehen noch ein wenig an seinem Stargate dreht oder einfach analog den außerordentlich guten Blick auf den Sternenhimmel genießt. So gehen dann die Jahre dahin, bis ihn eines Tages der Tod auf dem Nil ereilt und er nur hoffen kann, dass Hercule Poirot die genauen Umstände aufdeckt. Wenn nicht, ist auch egal, dann zieht er sich eben in seine Pyramide zurück, mummelt sich ein und verschließt die Tür ganz fest mit einem frischen Fluch.

Peru ist das Land, das an die meisten WM-Teilnehmerstaaten (nämlich vier) angrenzt, ohne selbst an der WM teilzunehmen. Irgendwie ist das ja auch was Besonderes, obgleich es die Peruaner wohl nicht so richtig trösten wird. Da Österreich, wie bereits erwähnt, das *europäische* Land ist, das an die meisten WM-Teilnehmerstaaten angrenzt, könnte man jetzt also sagen, Peru sei so etwas wie das Österreich Südamerikas, und von den Bergen her, also den Anden und den Alpen, wäre das sogar nicht einmal verkehrt. Und es gibt noch mehr Parallelen. Beispielsweise die Musik: Auf der einen Seite Hansi Hinterseer und Karl Moik, auf der anderen Seite Panflötenspieler in Fußgängerzonen – vom musikalischen Mehrwert her bewegt man sich auf Augenhöhe. Wobei man da den Panflötenspielern wohl doch ein bisschen unrecht tut, immerhin verzichten die aufs Vollplayback. Auch gab es aus beiden Ländern vor kurzem eine(n) Literaturnobelpreisträger(in): Elfriede Jelinek und Mario Vargas Llosa. Wer von beiden aus welchem Land kommt, verrate ich aber nicht.

Peru ist der Wachstumsmusterknabe Südamerikas. Neben Alpaka-Pullovern kommt auch sehr viel Fisch dorther. Nach China ist man die weltweit zweitgrößte Fischereination. Peruanische Pullover aus Schuppen gibt es aber dennoch nicht. Den Witz aus Alpaka, Alpecin, Alpen (aus Austria), Peru und Schuppen kann sich hier mal jeder selbst zusammenbasteln. Alle notwendigen Zutaten stehen ja schon in den beiden Absätzen zuvor.

Bei der Gelegenheit: Die berühmtesten Peruaner außer den Fußballern und Literaturpreisträgern kann sich auch jeder selber googeln. Er wird feststellen, die berühmtesten Peruaner sind nicht gerade besonders bekannt.

Immerhin habe ich in meiner Jugend auch einen Limerick zu Peru verfasst. Gott sei Dank habe ich ihn noch in einer alten Schülerzeitung gefunden, sonst hätte ich ihn nicht mehr so formvollendet zusammenbekommen:

Ein pubertierend Lama aus Lima,
fand Frühstücksmargarine prima.
Nichts behagte dem Lama
mehr als 'n Topf voller Rama.
Höchstens Spucken fand's noch mal intimer.

Dieser Limerick war vielleicht mein erfolgreichster überhaupt. Mit ihm gewann ich nicht nur beim Wettbewerb von «Peggys Hot Jeans Shop» eine ziemlich kratzige, aber irre warme Alpaka-Decke. Nein, er wurde gleich dreimal – im Diepholzer Kreisblatt, im Marktblatt und eben in der Schülerzeitung – voll amtlich abgedruckt. Wenn man so will: der wohl meistgedruckte Limerick über Peru und Frühstücksmargarine im Niedersachsen der frühen achtziger Jahre. Wer diese Zeit dort erlebt hat, müsste sich eigentlich noch daran erinnern.

Über den Nordkoreaner weiß man eigentlich nicht viel, und das ist dem Nordkoreaner oder zumindest der nordkoreanischen Regierung auch ganz recht so.

Der berühmteste Nordkoreaner aller Zeiten ist natürlich Kim Il-sung, der Begründer des Kommunismus und «Große Führer» in Nordkorea. Selbst nach seinem Tod 1994 blieb Kim Il-sung übrigens erster Mann im Staat, als «Ewiger Präsident» regiert er das Land heute von einer anderen Welt aus. Sein Sohn und Nachfolger als Regierungschef Kim Jong-il, der sich als «Sonne des 21. Jahrhunderts» huldigen ließ, musste mit dem Titel «Geliebter Führer» vorliebnehmen, weil das Präsidentenamt nach Kim Il-sungs Tod nicht mehr vergeben wurde.

Von einem derartigen Respekt vor dem Amt des Präsidenten kann hierzulande beispielsweise ein Christian Wulff natürlich nur träumen.

Mittlerweile lebt allerdings auch Kim Jong-il nicht mehr. Wann genau er gestorben ist, wie lange sein Amt zwischenzeitlich von einem seiner vielen Doppelgänger ausgeübt wurde, ob am Ende überhaupt noch jemand zwischen dem echten Kim Jong-il und seinen Doppelgängern unterscheiden konnte und was nach Kim Jong-ils offiziellem Tod eigentlich aus den vielen Doppelgängern wurde –

all das sind ungeklärte Fragen. Teilweise möchte man die Antwort auch lieber gar nicht wissen.

Seit 2011 nun ist Kim Jong-un, der dritte und jüngste Sohn Kim Jong-ils, «Oberster Führer». Bei ihm soll es übrigens unerhört viele Bewerbungen für den Doppelgängerjob gegeben haben. Zum einen, weil er natürlich noch sehr jung ist, da ist eine lange Karriere möglich. Im Regelfall ist so ein Doppelgängerjob für diktatorische Herrscher eine Lebensstellung. Zum anderen ist er ja nun aber auch ein bisschen dick. Da weiß man als Doppelgänger: «Solange ich so aussehen muss wie er, werde ich immer schön ordentlich viel zu essen bekommen und muss vermutlich nie Sport treiben oder richtige Muskeln aufbauen.» So ein Job ist wahrscheinlich nicht nur in Nordkorea attraktiv, dort aber natürlich ganz besonders.

Beim Blick auf Nordkorea stellt sich aber auch eine ganz grundsätzliche Frage: Warum gibt es in so ziemlich allen existierenden kommunistischen Staaten praktisch immer einen einzelnen Herrscher, der sich wie ein absolutistischer König aufführt? Das ist schwer verständlich. Ich finde, man sollte den Begriff «kommunistische Herrschaft» mal urheberrechtlich schützen lassen und jedem Staat, der kommunistisch werden will, erklären, was Kommunismus eigentlich ursprünglich bedeutet. Und zwar dringend. So haut das Ganze jedenfalls überhaupt nicht hin. Und wenn dieses neue Urheberrecht durch ist, müsste man Nordkorea wohl mal verklagen und der Staatsspitze für die Begriffsnutzung «kommunistische Herrschaft» ordentlich was in Rechnung stellen.

Die wichtigste Industrie in Nordkorea ist die Atomwaffenindustrie. Nordkorea ist, glaube ich, das einzige Land, das nicht behauptet, es wolle die Atomenergie friedlich nutzen. Im Gegenteil, es sagt relativ offen, dass es gern richtig gute Atomwaffen mit amtlichen Raketen hätte, um, wenn einem wieder mal alles zu viel wird, auch mal die Spülung drücken zu können. Also im übertragenen Sinn. Nun ja.

Trotz eines wie immer perfekten Fünfjahresplans konnten sich die Nordkoreaner diesmal nicht für die Weltmeisterschaft qualifizieren. Das macht einem hinsichtlich der oft recht vollmundigen Ankündigungen in Sachen Atomkraft ja doch ein bisschen Hoffnung.

NEUSEELAND

Denkt man an Neuseeland, denkt man ja eigentlich erst mal automatisch: Na, die Neuseeländer, die haben es nun aber auch echt
nicht leicht. Vom Wetter her, dann das Rie-
senozonloch, die ganzen Steine im Boden,
die dunklen gefährlichen Berge, der ständige Wind und so weiter, und so fort. Zudem
liegt Neuseeland ziemlich ab vom Schuss. Mehr
ab vom Schuss geht ja praktisch gar nicht! Oder wie der
Sprachforscher sagt: «Es gibt kein weiter wegges Land als
wie nämlich Neuseeland. Weißt Bescheid?»

Ich selbst kenne Neuseeland im Wesentlichen nur
durch die Herr-der-Ringe- und Hobbit-Filme. Aber schon
da kriegt man ja Respekt. Diese ganzen Orks und dann jetzt
auch noch der Drache Smaug – da können mir aber sämtliche Edelsteine gestohlen bleiben! Und die Region Mordor
scheint mir auch nicht gerade klimaneutral. So wie da der
Schwefel dampft oder anderswo die Sümpfe gären, muss
sich niemand wundern, dass das Ozon mal zum Lüften ein
bisschen das Loch aufgemacht hat.

Aber gut. Wie sieht denn der Alltag in Neuseeland aus?

Jeden Morgen wacht der durchschnittliche Neuseeländer im Auenland auf, isst eine leckere Kiwi und spielt
dann ein paar Runden Rugby, was ja sein eigentlicher Na-
tionalsport ist, bevor er zur Braeburn-Apfelernte muss.

Am Nachmittag sucht er sich dann seine Gefährten unter Zwergen und Elben und macht sich auf ins Land von Sauron, um da jetzt diesen verdammten Ring endlich einzuschmelzen. Nun könnte man sagen, dass der Ring doch schon im dritten Teil eingeschmolzen wurde, als der König zurückgekehrt ist. Aber das gilt nicht. Auch der Terminator und das Alien sind schon eingeschmolzen worden, und trotzdem gibt es Fortsetzung um Fortsetzung. Oder wie bei Star Wars und dem Hobbit Vorgeschichte um Vorgeschichte um Vorgeschichte. Mit dieser neuen Mode, in den Fortsetzungen die Vorgeschichte zu erzählen, wäre jetzt vielleicht auch ein zweiter Teil von Titanic vorstellbar.

Am Abend schließlich trifft sich der Neuseeländer mit Gollum, um mit ihm Werbespots für Mittel gegen Heiserkeit zu drehen: «Die Erkältung gehört mir!!! Sie ist zu mir gekommen. Meine Erkältung! Sie gehört mir!!!!»

Dass Neuseeland bei dieser Weltmeisterschaft fehlt, mag fußballerisch ein überschaubarer Verlust sein. Seit Wynton Rufer, der natürlich einer der besten Stürmer in der Geschichte des besten Vereins der Welt war, hat man nun nicht mehr von so sehr vielen internationalen Fußballstars aus Neuseeland gehört. Eigentlich von gar keinem. Doch was fehlen wird, ist selbstverständlich der Tanz der Maori. Die Kiwis, also die neuseeländischen Fußballer, haben nämlich bei der letzten Weltmeisterschaft ihre Gegner vor dem Spiel immer mit einem wilden Tanz eingeschüchtert. Sie lehnten sich dabei an den Kriegstanz der Maori, ihrer Ureinwohner, an. Mit Erfolg. Neuseeland blieb bei der Weltmeisterschaft in Südafrika als einziges Team ungeschlagen. Schied allerdings trotzdem mit drei Unentschieden nach der Vorrunde aus. Die Götter der Maori kannten eben die Tabellenmodalitäten der Fifa noch nicht.

Die Tschechen sind zurzeit 10,5 Millionen Menschen und bewohnen die 78 864 Quadratkilometer große Hälfte eines Zweifamilienhauses südlich von Polen. In der anderen Hälfte wohnt der Slowake, mit dem der Tscheche heute in Scheidung lebt. Deshalb hat er auch den Doppelnamen abgelegt und seit 1993 an seiner Türklingel nur noch seinen Geburtsnamen Tscheche stehen.

Nicht untypisch für einen ehemaligen Ostblockstaat, waren früher zwei Drittel der tschechischen Bevölkerung Heizer. Tschechien war daher natürlich oft völlig überheizt, worunter die schöne Naturlandschaft ein wenig gelitten hat.

Der berühmteste Tscheche sind mindestens zwei, nämlich Bedřich Smetana und Franz Kafka. Smetana hat vor langer Zeit die Moldau erfunden, die bis heute mit großem Erfolg durch Prag fließt. Die Tschechen sind ohne Frage ein Kulturvolk. Daher haben auch alle Tschechen Angst, dass sie eines Morgens aufwachen und sich in einen Käfer verwandelt haben.

Früher einmal war der Tscheche Österreicher, bis er das erste Mal befreit wurde. Kaum ein Land ist so oft befreit worden wie Tschechien. Nicht immer haben sich die Tschechen darüber gefreut.

Die Hauptstadt Prag ist leider sehr, sehr schön. Leider, weil sie deshalb von Touristen überfüllt ist. Man sieht dort praktisch nur eine Wand von Touristen, hinter der man Prag mehr oder weniger vermuten kann.

Der durchschnittliche Tscheche summt den ganzen Tag die Moldau, braut die vielleicht besten Biere der Welt, isst permanent böhmische Knödel, muss deshalb auch täglich eine Flasche Becherovka trinken und fährt Škoda.

Vor rund fünfundzwanzig Jahren hat der Tscheche den Škoda an VW verkauft, seitdem hat er Angst, dass sich der Škoda in einen Käfer verwandelt. Škoda heißt auf Tschechisch übrigens «schade». Man merkt daran, was für ein sympathisches und nachdenkliches Volk die Tschechen sind; sie geben ihren Wagen nicht so Angebernamen wie «Mustang», «Roadster», «S-Klasse» oder «Admiral», sondern nennen ein Fabrikat einfach «schade». Finde ich toll. Ich habe schon seit Jahren kein Auto mehr, aber wenn es irgendwann mal einen «Mercedes Trübsal», einen «BMW Depression» oder einen «Ferrari total am Arsch vorbei» gäbe, würde ich doch ins Grübeln kommen.

Slowaken sind sehr geduldige und freundliche Menschen. Als ich den einzigen Slowaken, den ich persönlich kenne, gefragt habe, wie denn Slowaken von ihrer Art, ihrer Mentalität her so seien, hat er mir geantwortet, dass er eigentlich Slowene wäre. Als ich ihn daraufhin gefragt habe, was denn das Besondere an Slowenen sei, hat er mir freundlich lächelnd geantwortet: «Ach, wir werden oft mit Slowaken verwechselt.»

Der Slowake war natürlich lange mit dem Tschechen zusammen. Im Gegensatz zu vielen anderen, die lange zusammen waren und sich dann plötzlich getrennt haben, kommen die Tschechen und die Slowaken aber ganz gut miteinander aus. Das liegt an der Mentalität. Slowaken und Tschechen sind berühmt für ihren Humor, ihre gute Küche und ihr gutes Bier. Und wer Humor, gutes Essen und gutes Bier hat, der muss sich natürlich nicht um irgendeinen Quatsch streiten. Er hat ja alles, was man braucht.

Rein von den Bergen her könnte die Slowakei eigentlich die größten Wintersportparadiese überhaupt bieten. Aber die Slowaken haben es nicht so supereilig mit der Erschließung ihrer Berge. Sie sagen immer: «Ach Gott, die Berge laufen uns ja nicht weg.» Und damit haben sie ja wahrscheinlich auch recht.

1976 war die damalige Tschechoslowakei sogar schon einmal Europameister, weil Uli Hoeneß einen Elfmeter verschossen hat. Es ist immer wieder schön, ihn darauf anzusprechen. Vielleicht das einzige Thema, das ihn diese blöde Steuersache mal für ein paar Minuten vergessen lässt.

Slowenien ist ziemlich klein. Nur zwei Millionen Slowenen leben auf einer Fläche, die etwa halb so groß wie Niedersachsen ist. Auf dieser kleinen Fläche bringen die Slowenen allerdings Teile der Alpen, die Pannonische Tiefebene und ein gutes Stück Adriaküste unter. Nicht schlecht, Herr Specht, von denen es tatsächlich ungewöhnlich viele in Slowenien gibt.

Die Republik Slowenien war nach dem Ende des Kalten Krieges lange Zeit so etwas wie das Musterland unter den jungen osteuropäischen Staaten, man bezeichnete sie auch als die Schweiz des Ostens. Gewiss, man bringt Slowenien nicht mit Kuhglocken in Verbindung, auch nicht mit Schokolade, Käse, Rivella oder dem Bankgeheimnis. Niemand spricht dort Schweizerdeutsch, es gibt keine Kantone und keinen Franken, und Slowenien ist in der EU. Aber sonst ist Slowenien praktisch ganz genau so wie die Schweiz. Daran sieht man eben auch, dass man die Schweiz nicht auf Kuhglocken, Schokolade, Käse und Bankgeheimnis reduzieren kann. Da muss schon noch etwas mehr sein. Und das, was da noch mehr ist, das ist dann eben Slowenien.

Der größte Flughafen in Slowenien ist die Skisprungschanze von Planica.

Über den einzigen Slowenen, den ich kenne, habe ich

ja bereits beim Slowaken geschrieben. Daher nur kurz: Slowenen sind sehr freundliche, friedliebende Menschen. So waren sie praktisch schon aus der Jugoslawien-Nummer raus, noch bevor der Balkankrieg so richtig losging. Seitdem gab es für Slowenien eigentlich nur einen echten internationalen Konflikt, allerdings einen mit einem sehr, sehr mächtigen, sehr aggressiven Gegner: dem deutschen ADAC. Es ging um die Vignette, also die Gebühren auf slowenischen Autobahnen. Die slowenische Regierung konnte sich gegen den ADAC behaupten, und da hat sie der deutschen Regierung dann doch etwas voraus. Wobei, würde sich Slowenien seine statistischen Daten vom ADAC machen lassen, hätte es wahrscheinlich dreißig Millionen Einwohner und wäre in etwa so groß wie Weißrussland.

An der Straße von Gibraltar ist Marokko praktisch nur ein paar Affen von Europa entfernt. Von daher ist Marokko seit jeher eine Art Bindeglied zwischen Europa und Afrika, hier konnten sich Europäer an Afrika und Afrikaner an Europa gewöhnen. Die Märkte von Marrakesch, der geheimnisvoll gefährliche Hafen von Tanger – Marokko war schon immer ein Land, das wirre Träume gebar und die Phantasie beflügelte. Und es ist bis heute so: Die marokkanische Haschischproduktion deckt drei Viertel des europäischen Bedarfs ab.

Meine erste Apfelsine kam aus Marokko, das nach wie vor einen richtigen König hat und wo der Mann von Welt einen lustigen kleinen roten Topf mit Bommel auf dem Kopf trägt. In mehrfacher Hinsicht und zu verschiedenen Zeiten war Marokko ein Ort der Flucht. Wo Sam in «Rick's Café Américain» es noch einmal spielt, während was Kleines Humphrey Bogart in die Augen schaut. Wo ihm und Ingrid Bergman immer noch Paris bleibt. Irgendwann ist es dann für alle Beteiligten zu spät geworden («Ten watch, darling» – «Oh, so much watch!»), und dennoch wurde es der Beginn einer wunderbaren Freundschaft…

Obwohl Marokko seit dreißig Jahren ganz weit oben auf der Liste der Länder steht, die ich gern mal besuchen würde, war ich noch nicht da. Doch zu Marokko passt so etwas Unerfülltes ja sehr gut.

Das gilt leider auch für die Fußballer. Die «Löwen vom Atlas» haben es wieder nicht zur WM geschafft. Ihren größten Erfolg hatten sie 1986, als sie im Achtelfinale sehr unglücklich durch ein Tor von Lothar Matthäus ausschieden. Da sag ich doch mal: «As time goes by!»

Der Finne redet nicht viel. Meistens eigentlich gar nicht. Er sitzt einfach nur da und trinkt Wodka, oder er setzt sich in die Sauna und trinkt Wodka. Manchmal auch original finnischen Glühwein. Der Finne hat die heißeste Sauna der Welt. Wenn er doch mal was sagt, dann nur, um um einen neuen Aufguss zu bitten, wobei auch das natürlich ohne Worte geht.

Wenn der Finne einmal nicht dasitzt und die Trostlosigkeit seiner Städte und Dörfer stoisch zur Kenntnis nimmt, hört er Populärmusik aus Vittula oder dreht Filme.

Die Hauptstadt Helsinki ist leider komplett schwarzweiß. Wie eigentlich das meiste in Finnland. Außer der Natur, die ist atemberaubend, also zumindest die unberührte.

Wenn man eine gewisse, sagen wir mal sauerländische Sturheit mag, gepaart mit einer depressiven Grundhaltung und geradezu flirrender Melancholie, dann ist Finnland das schönste Land der Welt. Wenn nicht, kann die Zeit dort ganz schön lang werden.

Die Finnen sind natürlich fabelhafte Wintersportler. Große, starke Finnen spielen Eishockey, kleine, schmächtige Finnen werden Skispringer. Wenn der Finne tanzt, tanzt er am liebsten Tango, weil man da nicht so auf den Takt achten muss und seinen Emotionen freien Lauf lassen kann. Und der Finne hat gewaltige Emotionen. Wahrscheinlich die heftigsten aller Europäer. Würde er sich dies auch sonst anmerken lassen, sähe die Sache in Finnland aber noch mal ganz anders aus.

Die Finnen waren nicht sehr überrascht, dass sie sich nicht für die Fußballweltmeisterschaft qualifizieren konnten. Schließlich hat das ja noch nie geklappt. Aber wenn sie sich doch qualifiziert hätten, dann hätte es sicher ein gewaltiges Fest gegeben mit Livemusik von den Leningrad Cowboys. Apropos Musik: Der wohl größte internationale Erfolg gelang den Finnen, als sie vor einigen Jahren den Grand Prix Eurovision de la Chanson gewannen. Mit der Hardrockgruppe Lordi. Mein guter Freund Peter kam damals verständlicherweise ins Sinnieren und meinte: «So musste erst mal drauf sein wie diese Finnen. Aber vielleicht ist das auch wegen den vielen Mücken da. So was würde mich auch wahnsinnig machen!»

Mit der Singenden Revolution haben sich 1991 die drei Länder des Baltikums ihre Unabhängigkeit erkämpft. Bei der Fußballweltmeisterschaft wird keiner von ihnen dabei sein. Das ist schade. Ihr Gesang wird uns fehlen.

ESTLAND

Der wichtigste Wirtschaftsfaktor in Estland – neben dem Hafen von Tallinn – sind Finnen, die zum Trinken ins Land kommen. Früher hieß Tallinn «Reval». Aber da auch eine Zigarettenmarke so heißt und die Stadt bei einer Beibehaltung des Namens von der EU verpflichtet würde, Bilder von Raucherbeinen oder Nikotinlungen und Hinweise zur Schädlichkeit des Rauchens auf die Ortsschilder zu drucken, sagen längst alle Esten nur noch Tallinn. Ansonsten ist der Este sehr, sehr schweigsam. Es herrscht eine große Ruhe in Estland. Viele Finnen kommen auch gern nach Estland, wenn ihnen die Hektik und das ständige Rumgequatsche zu Hause einfach zu viel werden.

Lettland ist in jeder Hinsicht schön. Das Land wie die Bewohner. Viele Frauen mit schwachen Orthographiekenntnissen in Deutschland träumen daher auch von einem Letten Lover.

Der größte Erfolg des lettischen Fußballs war das 0:0 gegen Deutschland bei der Europameisterschaft 2004 in Portugal. Dieses Spiel wurde historisch: Es ist das einzige Europameisterschaftsendrundenspiel der Fußballgeschichte, in dem beide Mannschaften nicht einen ernsthaften Torschuss abgegeben haben.

LITAUEN

Litauen war das erste Land, das die Unabhängigkeit von Moskau errang. Der Präsident Landsbergis soll seine Rede, mit der er sich damals an die internationale Staatengemeinschaft richtete, da er nicht Russisch sprechen wollte und befürchtete, dass Litauisch niemand verstehen würde, auf Latein gehalten haben. Dies wurde zum späten Triumph aller Lateinlehrer altsprachlicher Gymnasien in Deutschland.

Zwischen Litauen und Polen in einer russischen Exklave liegt Kaliningrad, das früher Königsberg hieß. Von hier aus kann man, wenn man Immanuel Kant glauben darf und nur mal richtig nachdenkt, praktisch die ganze Welt erklären, ohne den Ort auch nur einmal verlassen zu müssen.

Vor vier Jahren war Südafrika noch Gastgeber der Weltmeisterschaft. Das Land und dann die ganze Welt fieberten mit der «Bafana Bafana» («die Jungs») genannten Mannschaft, Shakira sang «Waka Waka», ich zerstritt mich mit einem langjährigen Freund, weil der meinem Kind eine Vuvuzela geschenkt hatte. Gleichzeitig wettete ich mit einem anderen Freund, wer von uns beiden in der deutschen Presse häufiger Wortspiele mit «Vuvuzela» – «Uwe Seeler» finden würde (er gewann deutlich, 27:14), und das ganze Land diskutierte, ob Deutschland ohne Ballack überhaupt eine Chance habe. Heute scheint das alles Lichtjahre entfernt.

Von einer Qualifikation für die WM 2014 ist die südafrikanische Mannschaft in etwa genau so weit entfernt gewesen wie Ballack von einem Comeback. Und auch der enorme gesellschaftliche Fortschritt durch die Ausrichtung der Fußballweltmeisterschaft, den Sepp Blatter gesehen haben wollte, ist, freundlich formuliert, dann doch wohl mal eher so mittel ausgefallen. Dafür bleibt Südafrika der hochverdiente Respekt, der dem Land international für die formidable Ausrichtung des Fußballfests gezollt wurde.

Doch wenn man über Südafrika spricht, muss man natürlich auch die langen Jahre der Apartheidspolitik erwähnen. Die strikte Rassentrennung zwischen Schwarz und Weiß hatte viele furchtbare Folgen. Zahllose Menschen haben seinerzeit in der ganzen Welt dagegen protestiert und die Apartheid bekämpft. Die meisten, weil sie die staatliche Willkür des weißen Südafrikas abschaffen und Nelson Mandela befreien wollten; einige aber sicher auch, weil sie hofften, dass mit dem Ende der Apartheid vielleicht auch mal endlich diese dauernde, dröhnende Reggaemusik aufhören würde.

Verschärft wurden die Folgen der Apartheidspolitik noch durch die offizielle Landessprache. Das war nämlich keine Weltsprache, sondern Afrikaans, eine Art holländischer Dialekt oder so was. Ja nun, dass jetzt so eine Sprache das Gefühl der Isolation nochmals verstärkt, ist klar. Wissen wir hier in Europa ja auch. Als während der weltweit übertragenen Trauerfeier für den verstorbenen Nelson Mandela ein offizieller Gebärdensprachdolmetscher, der offenkundig kein Wort, sprich keine Geste internationale Gebärdensprache beherrschte, trotzdem alles mit irgendwelchen Phantasiegesten vor sich hin übersetzte und so für große Empörung sorgte, musste ich wieder an dieses Afrikaans denken. Vielleicht haben sich die Südafrikaner ja so sehr daran gewöhnt, eine Sprache zu sprechen, die sonst keiner versteht, dass sich sogar dieser Gebärdendolmetscher völlig frei fühlte.

Ganz unten in Südafrika gibt es noch das Kap der Guten Hoffnung. Damit sind während der letzten Weltmeisterschaft naheliegenderweise viele Wortspiele gemacht worden. Dabei weiß doch hier jeder, der seine Volksliedhausaufgaben gemacht hat: Wenn man mal ums Kap der Guten

Hoffnung rumgekommen ist, liegt man ratzfatz vor Mada-
gaskar und hat die Pest an Bord ...

Darauf von mir ein dreifaches: «Ahoi, Kameraden, ahoi,
ahoi!»

Katar wird ja nun, wenn nicht noch sehr überraschende Dinge geschehen, die Fußballweltmeisterschaft 2022 ausrichten. Damit steht auch bereits fest, was der mit Abstand größte Erfolg der katarischen Fußballnationalmannschaft sein wird: nämlich die Qualifikation für die Fußball-WM 2022. Auf dem harten Weg dorthin gelang es immerhin, so große Fußballnationen wie England auszuschalten. Die erfolgreichste Vereinsmannschaft Katars ist Paris St. Germain, und irgendwo hier in Paris, zwischen Platini und Sarkozy, liegt wohl auch der Schlüssel dafür, wie dem kleinen, unscheinbaren Katar dieses Fußballwunder gelingen konnte.

Es ist zu einfach und langweilig, über die WM-Vergabe nach Katar zu lästern. Sehen wir lieber das Positive: Vielleicht wird das Augenmerk der Welt so einmal auf das Schicksal von Leih- und Sklavenarbeitern im Nahen Osten gerichtet. Zudem wird die Fußballweltmeisterschaft in Katar ja wahrscheinlich die erste sein, die im Winter stattfindet. Davon könnten hier die Betreiber von großen Hallen und die Hersteller von Heizdecken und Heizpilzen profitieren – beim Public Viewing will schließlich keiner frieren. Ein Problem dagegen mag sich aus der Überschneidung mit den Olympischen Winterspielen ergeben. Eventuell könnte man hier zwei Fliegen mit einer Klappe schlagen, indem man Fußball den Wintersportarten zurechnet und die Olympischen Winterspiele ebenfalls in Katar austrägt. Auf die paar Eis- und Schneehallen mehr oder weniger käme es dann auch nicht mehr an. Oder man vergibt die Winterspiele mal in eine Region wie Sibirien oder Alaska, wo sie im Sommer stattfinden könnten. Vielleicht sogar in beide Regionen. Russisch-amerikanische Olympische Winterspiele im Juli in Sibirien und Alaska. Eventuell könnte man dann noch die Curling-Wettbewerbe gleichzeitig in Nord- und Südkorea veranstalten, läge ja quasi auch noch in dem Großraum. Das wäre mal eine Vision. Und dann sollte noch mal einer sagen, die Fußballweltmeisterschaft in Katar hätte nichts für die Völkerverständigung und den Weltfrieden getan, sie sei von Anfang an eine Schnapsidee gewesen! Was ja, nebenbei bemerkt, als Formulierung sowieso schon immer unsinnig war, da Schnaps in Katar ja wohl verboten ist. Oder etwa nicht?

AUCH NICHT QUALIFIZIERT:
HORST EVERS

Natürlich habe ich in meiner Jugend Fußball gespielt. Tatsächlich hatte ich sogar lange den Traum, es könnte bei mir zu einer Karriere als Profifußballer reichen. Bis ein einschneidendes Erlebnis mich aufhören ließ, gerade noch rechtzeitig, bevor ich mein ganzes Leben diesem vagen Ziel untergeordnet hätte. Genau genommen hatte ich das Erlebnis sogar relativ früh, also in der D-Jugend, als ich dort nämlich von der ersten in die zweite Mannschaft geschoben wurde. Das war desillusionierend, zumal ich ohnehin bei keinem der ganz, ganz großen deutschen Vereine spielte. Ich hatte mich dem SV Friesen Lembruch verschrieben, ein Verein, wo ich sagen würde: Wer den kennt, der weiß, wie unwahrscheinlich es ist, dass man den kennt. Als ich also in der D-Jugend des SV Friesen Lembruch in die zweite Mannschaft geschoben wurde, analysierte ich messerscharf, dass es jetzt mit meiner Karriere als Profifußballer vermutlich Spitz auf Knopf stand. Fortan reichte nicht mehr nur Talent, ich würde von nun an auch Glück brauchen. Ich schaute mich nach anderen Sportarten um, musste dann aber Disziplin für Disziplin den Traum vom Profisportler begraben, weil mir einfach klar wurde: Wenn du in einer dieser Sportarten irgendwann mal ganz nach vorn hättest kommen wollen, hättest du auch irgendwann mit dem Sport anfangen müssen.

Natürlich habe ich später trotzdem immer mal wieder

231

Fußball gespielt. Bis heute macht mir das stets großen Spaß. Es gab Gastspiele in einer Studentenauswahl des Fachbereichs Germanistik, und auf einem Reiterhof im Hessischen habe ich einmal in einer Dorfauswahl ausgeholfen, als dort ein Testspielgegner für eine B-Jugend-Auswahl aus Sambia gesucht wurde, die sich auf irgendein großes Turnier vorbereitete. Einige Jahre hatte ich dann gehofft, mein damaliger direkter Gegenspieler, der im Spiel fünf oder sechs Tore geschossen hat, würde ein großer Star des afrikanischen Fußballs werden. So jemand wie Yeboah oder George Weah oder Eto'o. Dann hätte ich für den Rest meines Lebens was zum Prahlen gehabt. In der Richtung: «Und wisst ihr, von wem der Yussuf Bata damals alle Tricks gelernt hat, bei diesem Testspiel auf dem Reiterhof? Na?» Doch leider habe ich von ihm nie wieder gehört.

Es gibt mehrere Texte, in denen ich über mich als Fußballspieler berichte. Beispielsweise in der Geschichte «Ich muss mir nichts mehr beweisen». Den präzisesten Einblick in meine fußballerischen Fähigkeiten gibt aber «Kopfschuss». Ich erlaube mir, die entscheidende Passage hier kurz zu zitieren:

«Meine Grundstrategie ist dieselbe wie bei jedem Sport, den ich so betreibe. Die ersten zwei Minuten renne ich wie angestochen, so schnell ich nur kann, den Platz rauf und runter. Zwar habe ich in dieser Zeit noch keinen Ballkontakt, aber ich spüre genau, wie meine Gegenspieler ganz schön beeindruckt sind von meiner läuferischen Stärke. Jaaaa, das hatten sie mir nicht zugetraut. Ab der dritten Spielminute jedoch verlässt mich langsam die Kraft. Mein Kopf ist knallrot, ich bin trotz der Kälte klitschnass geschwitzt und gehe erst mal kurz in die Hocke, um neue Kraft zu sammeln. Kurz darauf bekomme ich meinen ersten Ballkontakt. Ich sehe genau, wie der scharf, ja knallhart geschossene Ball direkt auf mich zurast, aber ich bin einfach viel zu fertig, um noch irgendwie ausweichen zu können. Also bleibe ich einfach regungslos hocken und erwarte gelassen mein privates Armageddon. Vor meinem inneren Auge spielt sich noch mal mein gesamtes Leben ab ... Man kann nicht unbedingt sagen, ich beschließe, den Ball mit dem Kinn zu stoppen. Aber ich tue es trotzdem. Das Kinn hält die gewaltige Wucht des Balles nur kurz aus, dann übernimmt die Nase, hält dem Druck aber auch nicht lange stand, sodass ich letztendlich den Ball mit der Augenbraue stoppe; dann aus der Hocke der Länge nach hinschlage und sofort k. o. gehe. Als ich Minuten später wieder zu mir komme, fragen mich die Freunde besorgt, ob ich noch meinen Namen weiß. Ich sage wahrheitsgemäß ‹Hmmpf› und will nach Hause. Den skeptischen Freunden sage ich, ich komm schon klar, renne noch dreimal gegen den Torpfosten und mache mich dann auf den Weg zur U-Bahn.»

Darauf folgte ein längerer, gänzlich orientierungsloser Spaziergang durch die halbe Stadt. Ich kam fast überallhin, nur nicht nach Hause. Die Odyssee endete damit, dass ich in eine Pizzeria ging, eine Pizza zu mir nach Hause bestellte und den Fahrer bat, mich dann doch gleich mit auszuliefern. Da ich damals alleine wohnte, gab es übrigens später das Problem, dass keiner zu Hause war, als wir bei mir klingelten. Darüber wollte ich eigentlich auch immer noch mal eine Geschichte schreiben, aber man kommt ja zu nichts.

Meinen wichtigsten Text zum Thema Fußball habe ich

aber viel früher geschrieben. Es ist einer der ersten Texte, die ich für eine Lesebühne geschrieben habe, und er stand seinerzeit für das Lebensgefühl unserer ganzen Generation. Seit mehr als zwanzig Jahren wollte ich eigentlich mal eine aktualisierte und gekürzte Fassung schreiben. Dieses Buch nun scheint mir der passende Anlass.

DAS GROSSE SPIEL (2014ER REMAKE)

Dienstagnachmittag. Sitze in meinem Zimmer und überlege, was zu tun ist. Brauche einen Plan, eine Strategie, eine Entscheidung. Plötzlich wird mir bewusst, etwas Besonderes wird geschehen. Höre Fanfaren und merke dann, wie in meinem Kopf das große Spiel beginnt. Das Spiel meiner gegensätzlichen Gedanken um den wichtigsten aller Titel: den «Was-macht-der-Horst-mit-seinem-Tag-Pokal»! Doch hier die Reportage live aus dem Kleinhirnstadion:

Guten Tag, liebe Zuschauerinnen und Zuschauer, ich begrüße Sie im mit zweieinhalb Millionen Hirnzellen restlos ausverkauften Kleinhirnstadion von Everskopp zum mit Spannung erwarteten großen Endspiel um den begehrten «Was-macht-der-Horst-mit-seinem-Tag-Pokal». Und hier kommen auch schon die beiden Mannschaften. Da ist zum einen der Herausforderer, das junge, aufstrebende, gerade erst wieder spektakulär verstärkte Team vom «1. FC Horst, jetzt reiß dich aber mal zusammen!». Nicht wenige Experten meinen, das stark motivierte Team des Trainers «Mal vorankommen jetze» sei reif für den ersten großen Titel. Aber auf der anderen Seite steht kein Geringerer als der

Titelverteidiger, der Favorit, der seit Jahren ungeschlagene
«VFL Boarh, bin ich kaputt!». In den letzten Jahren hat die
Mannschaft des Trainers «Morgen is auch noch'n Tag» so
ziemlich alles gewonnen, was es in Everskopp zu gewinnen
gab. Die Frage ist: Hat das ehrgeizige Team des «1. FC Horst,
jetzt reiß dich aber mal zusammen!» überhaupt eine Chance gegen diese routinierte, mit allen Wassern gewaschene
Startruppe?

Über sechshundert Fernsehstationen aus allen Körper-
regionen übertragen diese Begegnung. Ich bin sicher, in der
Leber, in der Milz, im Zwölffingerdarm und überall sonst
sitzt man jetzt vor den Schirmen und ist genauso gespannt
wie hier im Kleinhirnstadion von Everskopp. Ich freue mich
besonders, erstmals auch die Zuschauer von den Ohrläpp-
chen und dem frisch verheilten Schultermumps begrüßen
zu können. Gemeinsam hören wir jetzt die Hymnen der
beiden Mannschaften: Für den «1. FC Horst, jetzt reiß dich
aber mal zusammen!» spielen wir «Bau auf, bau auf, bau auf,
freie deutsche Jugend, bau auf» und für den «VFL Boarh, bin
ich kaputt!» «Es gibt kein Bier auf Hawaii, es gibt kein Bier».
Dann tauschen die beiden Mannschaftskapitäne, «Dem
Tüchtigen gehört die Welt» und «In der Ruhe liegt die
Kraft», die Wimpel aus. Das heißt, sie versuchen es, denn
der Kapitän des «VFL Boarh, bin ich kaputt!» hat seinen
Wimpel offensichtlich verschlampt. Nach einer kurzen
Schweigeminute für den kürzlich aus dem Körperverbund
ausgeschiedenen Appendix sowie die unzähligen Opfer
der letzten Haarausfallkatastrophe gibt der Schiedsrichter
«Wie man's macht, macht man's verkehrt» das Spiel frei.

Und der «1. FC Horst, jetzt reiß dich aber mal zusammen!» legt gleich mächtig los. Mit einem langen Pass schickt Mittelfeldregisseur «Leistung muss sich wieder lohnen» seinen starken Rechtsaußen «Der frühe Vogel fängt den Wurm» auf die Reise. Der lässt die Verteidiger «Zu nix richtig Lust» und «Am liebsten zurück ins Bett» stehen, aber jetzt wird «Der frühe Vogel fängt den Wurm» jäh vom versierten gegnerischen Libero «Aber die zweite Maus bekommt den Käse!» gestoppt. Jetzt sind die Kaputten im Vorwärtsgang: «Da muss was mit dem Wecker gewesen sein» auf «Heut is nich mein Tag», «Heut is nich mein Tag» weiter auf «Gestern auch nicht», «Gestern auch nicht» zu «Morgenstund ist ungesund», vorbei an «Lass mal den Abwasch machen», quer zu «Ich komm doch auch so über die Runden», «Ich komm doch auch so über die Runden» schießt und – geschmeidig wie eine Raubkatze taucht da «Denk auch mal an deine Altersvorsorge», der sichere Schlussmann der Zusammenreißer, in die untere rechte Ecke und hält den Ball fest in den Händen. Ja, nach diesem furiosen Auftakt plätschert das Spiel nun doch mehr und mehr vor sich hin, auch weil der gefährlichste Stürmer der Kaputten, «Hee, lass mal 'n Bier trinken gehen», von gleich beiden Innenverteidigern der Zusammenreißer, «Dann kommste morgen wieder nicht aus dem Bett» und «Keine Macht den Drogen», in scharfe Manndeckung genommen wird. Aber auch der Stürmer der Gegenseite, «Wenn es hier sauberer wäre, könnte man auch mit gutem Gewissen mal Frauen einladen», hat gegen den Verteidiger «Extra für Frauen aufräumen wäre doch auch irgendwie verlogen» keinen Stich. Außer einem Platzverweis für «So viel Licht ist gar nicht gut für die Augen», der «Lass mal Fenster putzen» mit einer üblen Blutgrätsche von den Beinen geholt hat, passiert nichts mehr, mit 0:0 geht's in die Pause.

Gibt es Veränderungen zur zweiten Halbzeit? Oh ja. «Mal vorankommen, jetze», der Trainer der Zusammenreißer, bringt jetzt seinen neuen Superstar. Für den angeschlagenen «Lass mal Fenster putzen» kommt der neu eingekaufte Wunderstürmer «Frauen mögen erfolgreiche Männer». Ein Raunen geht hier durch das Rund der zweieinhalb Millionen Gehirnzellen auf den Rängen. Und auch bei den Kaputten macht sich Unruhe breit. Vor diesem Gedanken, diesem Spieler hatten sie Angst. Der könnte das Ganze durchaus zugunsten der Zusammenreißer entscheiden. Anpfiff, die zweite Halbzeit beginnt, und gleich stürmt «Frauen mögen erfolgreiche Männer» auf das Tor der Kaputten zu. Wie nix spielt er die gesamte Abwehr aus, Schuss und – knapp vorbei, aber da fehlte nicht viel. «Morgen ist auch noch'n Tag», der Trainer der Kaputten, muss sich dringend was einfallen lassen, seine Mannschaft findet einfach kein Rezept gegen diesen quirligen, brandgefährlichen Gedanken. Und da reagiert er auch schon. Ja, er bringt: «Aber erfolglose Männer haben dafür mehr Zeit». Wahnsinn, hat es der alte Trainerfuchs doch wieder geschafft!

Die reguläre Spielzeit ist vorbei, immer noch 0:0, jetzt entscheidet das Golden Goal. Und Tooooor!!! Tor! Tor! Tor! Mit einem Gewaltschuss, direkt vom Anstoßpunkt weg, erzielt «Hee, lass mal 'n Bier trinken gehen» das spielentscheidende 1:0. Ein Glücksschuss, gewiss, aber er sichert den Kaputten erneut den Titel. Zweieinhalb Millionen Hirnzellen hier im Stadion singen die Hymne der Kaputten: «Es gibt kein Bier auf Hawaii, es gibt kein Bier», der Everssche Körper setzt sich in Bewegung Richtung Kneipe, auch in der Leber ist der Jubel natürlich riesengroß. Die Kaputten haben es wieder geschafft. Es sieht aus, als sei der «VFL Boarh, bin ich kaputt!» hier in Everskopp einfach nicht zu schlagen.

VERLÄNGERUNG

Auch wenn die Engländer nicht müde werden zu betonen, sie hätten den Fußball erfunden, haben doch die Chinesen und die Azteken bereits Jahrhunderte vorher schon so eine Art Fußball gespielt.

Im alten China, ungefähr im dritten Jahrhundert vor Christi Geburt, gab es ein Ballspiel namens Cuju, das Bestandteil der militärischen Ausbildung war und helfen sollte, inneren Zorn abzubauen. Tatsächlich verstärkte diese Vorform unseres Fußballs die Aggressionen wohl eher: Aufgrund vieler schwerer Verletzungen wurde es irgendwann aus dem Ausbildungsprogramm gestrichen.

Die Azteken kannten ein Spiel, das sogar noch mehr Ähnlichkeit mit dem modernen Fußball hatte. Wenn die es also wirklich drauf anlegen würden, könnten sie den Engländern den Rang als Erfinder des Spiels locker abjagen. Nur machen die Mittelamerikaner ja nie so ein wahnsinniges Bohei um all das Zeug, was sie schon lange vor den Europäern erfunden, erbaut oder erschaffen haben. Deshalb traut man ihnen dann umgekehrt auch nicht viel zu. Selbst die gewaltigen Tempelanlagen, die sie zu Zeiten errichteten, als man hier in Deutschland noch über den ersten Prototypen des halbdichten Strohdachs grübelte, werden bis heute von vielen misstrauisch beäugt, und dann heißt es: «Nee, so was können die doch gar nicht gekonnt haben. Das waren bestimmt irgendwelche Außerirdischen, die dort ihre Kristallschädel aufbewahren wollten oder so.»

Auf jeden Fall hatten die Azteken aber schon einen Ball aus Kautschuk, während die Chinesen noch mit einer Kugel aus Leder, Fell und Federn gespielt hatten. In der Balltechnologie hat sich seither natürlich viel getan. Als erster größerer Durchbruch kann der Moment gelten, als man beschloss, den Ball richtig rund zu machen. Das gab dem Spiel dann auch gleich eine ganz andere Richtung. 1872 wurde in England eine einheitliche Ballgröße festgelegt, wodurch die bis dahin gängige Taktik, einfach alle gegnerischen Spieler mit einem ziemlich großen Ball platt zu rollen, praktisch gänzlich verschwand. Später kamen der genähte Lederball mit Schweinsblase, dann Plastikbälle ohne Naht, die schon bald im Windkanal entwickelt wurden, daraufhin hat man mit Hilfe von Weltraumtechnologie und mittels Raketentechnik das Flugverhalten optimiert, bis kürzlich auch noch ein Chip in den Ball eingebaut wurde. Und demnächst wird man wahrscheinlich überdenken, ob denn das schlicht Runde nach heutigem Standard wirklich noch die optimale Form für den Ball ist.

In England begann die Entwicklung des modernen Fußballspiels Ende des 18. Jahrhunderts mit dem Wettkampf zwischen zwei Dörfern, die versuchten, einen Ball in das gegnerische Dorf zu tragen. Diese Art des Kräftemessens wurde als «nicht so schlimm wie Krieg» angesehen. Allerdings war die Zahl der Verletzten und Toten da noch nicht wesentlich geringer als bei handelsüblichen Dorfkriegen jener Zeit. Als das Spiel vom Land in die Universitäten wanderte, gab es schnell auch immer mehr Regeln. Bald schon war das Tragen von Waffen verboten, dann wurde das Spielfeld immer weiter verkleinert, bis schließlich 1857 mit dem FC Sheffield der erste reguläre Fußballverein der Welt gegründet wurde. Nun ging es Schlag auf Schlag: 1874 wurde ein Schiedsrichter eingeführt, sechs Monate später das Verprügeln desselben unter Strafe gestellt – bis dahin hatte man nur sehr schwer Leute zum Schiedsrichterjob überreden können. 1875 wurde die Halbzeitpause erfunden, um Spieler und Schiedsrichter zumindest notdürftig ärztlich versorgen zu können, kurze Zeit später legte man die ungefähre Größe von Platz, Toren und Strafraum fest, dann auch die Dauer des Spiels.

Mit der Erfindung des Platzverweises 1877 gelang endlich der Durchbruch bei der Reduzierung von Verletzungen während eines Fußballspiels. Allerdings gab es dabei zunächst oft noch das Problem, dass die Spieler ihren Platzverweis gar nicht bemerkten und einfach munter weiter holzten und prügelten. Bis zu dem Moment, als das erste große technische Hilfsmittel den Fußball von Grund auf veränderte: 1878 wurde die Trillerpfeife für den Schiedsrichter offiziell eingeführt. Natürlich kam es zu großen Diskussionen. Wird jetzt ständig während des Spieles getrillert? Unterbricht so eine Pfeife nicht den natürlichen Spielverlauf? Ist das dann überhaupt noch ein richtiges Fußballspiel? Geht es da nicht nur um technischen Schnickschnack, den die Zuschauer sowieso nicht verstehen? Macht es nicht gerade auch den Reiz von Fußball aus, wenn ein Spieler gar nicht merkt, dass das Spiel unterbrochen ist? Gehört das Überhören von Schiedsrichterentscheidungen nicht auch irgendwo mit dazu?

Große, zum Teil sicher auch berechtigte Bedenken gab es also gegen das erste technische Hilfsmittel des Schiedsrichters. Für uns heute ist die Trillerpfeife so selbstverständlich, dass man sich beinahe fragt, wie die Schiedsrichter das eigentlich vorher gemacht haben.

1899 wurde Spielern der Vereinswechsel gegen Ablöse erlaubt. Die festgelegte Höchstsumme dafür waren zehn Pfund. Nicht wenige unkten angesichts dieser Summe damals: «Das viele Geld macht den Fußball kaputt.»

1967 stellte die Erfindung der taktischen Auswechslungen eine wichtige Veränderung dar. Bis dahin durfte nämlich nur bei Verletzungen ausgewechselt werden. Das konnte für einen Spieler, der einen schlechten Tag hatte und den der Trainer gerne aus dem Spiel haben wollte, dann manchmal körperlich unangenehm werden. Mit der Wechselmöglichkeit unverletzter Spieler wurde folgerichtig auch das absichtliche Umtreten von Spielern der eigenen Mannschaft unter Strafe gestellt.

Schon kurz darauf, 1968, wurde die gelbe Karte erfunden, 1993 dann die Blutgrätsche verboten. Seitdem gab es nur noch kleinere Regeländerungen und Experimente wie Silver oder Golden Goal.

Mit dem Chip im Ball und der Torlinientechnologie könnte nun ein weiterer großer Umbruch bevorstehen. Beides soll den Schiedsrichter entlasten und Fehlentscheidungen unwahrscheinlicher machen. In Kürze könnte zudem der nächste Schritt erfolgen: die Kamera im Ball. Vielleicht sogar mehrere Kameras – damit könnten die Schiedsrichter am Rand sitzen, aber ihre Augen praktisch im Ball haben. Letztlich wäre das so, als würde der Ball dann

Hätte es schon 1966 beim WM-Finale in Wembley den Chip im Ball gegeben, wäre vermutlich in diesem Moment die Technik ausgefallen.

selbst das Spiel leiten. Dadurch wäre er natürlich immer auf Ballhöhe und wüsste auch selbst am besten, ob er nun im Tor war oder nicht. Zudem könnte er kleinere Vergehen wie Schiedsrichter- beziehungsweise eben Ballbeleidigung schnell und unbürokratisch ahnden, indem er dem betreffenden Spieler einfach mal kurz ins Gesicht fliegt.

Wenn wiederum der Ball komplett mit Kameras und Sensoren ausgerüstet wäre, müssten genau genommen auch die Spieler gar nicht mehr selbst auf dem Platz stehen, sondern könnten die Impulse, den harten oder mit viel Schnitt versehenen Schuss, auch direkt über W-LAN von zu Hause senden. Klar, auch dann würde es wieder Diskussionen geben: Wenn man beim Spiel nur noch einen von daheim sitzenden Spielern ferngesteuerten Ball durchs Stadion fliegen sehen würde, der zudem auch noch selbst der Schiedsrichter ist, veränderte das doch den Geist des Spiels. Das wäre gar kein richtiger Fußball mehr. Aber mein Gott, auch diese zunächst ungewohnten Neuerungen würden mit der Zeit bestimmt genauso selbstverständlich wie die Trillerpfeife.

Der moderne Fußball wird geprägt von Taktik und Spielsystemen. Für einen Profifußballer reicht ordentlich rennen, dribbeln und schießen können schon lange nicht mehr aus. Bei den Nachwuchstalenten beginnt die taktische Schulung heute häufig schon bei der Geburt, wo durch permanentes Pressing der kommende Star in eine aussichtsreiche Position gebracht werden soll. Eine Fußballweltmeisterschaft ist immer so etwas wie die bedeutendste Entwicklermesse, die Leistungsschau schlechthin, wo aktuelle Trends und wichtige Innovationen präsentiert werden.

Am beliebtesten ist derzeit eigentlich ein 4-2-3-1 mit Doppel-6 und einer Spitze. Aber auch die einfach-6 mit zwei Spitzen oder offensivem Dreier wird gern genommen. Andere schätzen die breite Mitte im Tiki-Taka, mit Falschem Neuner und Multipler Traverse.

Schon dieses kleine Beispiel macht deutlich: Es hat sich mittlerweile eine richtig Kunstsprache herausgebildet, eine Art Fußballesperanto mit eigenen Begrifflichkeiten und einer Grammatik, die allerdings bei weitem nicht so logisch und nachvollziehbar ist wie das echte Esperanto. Darüber hinaus kommen quasi täglich weitere Begriffsneuschöpfungen hinzu. Um hier ein bisschen Überblick zu verschaffen und jedem die Möglichkeit zum Mitreden zu geben, habe ich einige der wichtigsten taktischen Aufstellungen und Fachbegriffe aufgeführt und kurz erklärt:

- 4-2-3-1: Wie gesagt, das gerade vorherrschende System. Drei offensive Mittelfeldspieler und nur ein Stürmer, der praktisch auch der erste Verteidiger ist. Schlüssel zu dieser Taktik ist allerdings die Doppel-6, die beiden Spieler vor der Abwehr. Defensiv die Feuerwehr, offensiv der Spielaufbau. Über die beiden läuft praktisch alles, man braucht dort gleichermaßen spielstarke wie robuste Spieler, denn sie werden extrem beansprucht und sind daher auch sehr häufig verletzt.
- Abwandlungen dieser Taktik sind das vermeintlich offensivere 4-1-3-2 mit zwei Stürmern, die dann allerdings, genau wie die offensiven Mittelfeldspieler, noch mehr nach hinten arbeiten müssen, sowie das 4-1-5 mit dem Falschen Neuner (dazu später mehr).

Andere verbreitete Systeme sind:
- 4-4-2: der Klassiker. Der größte Nachteil des 4-4-2-Systems ist wohl, dass Trainern, die es spielen lassen, häufig vorgeworfen wird, sie hätten von Taktik wohl nicht viel Ahnung, weil sie ja immer noch ein einfaches 4-4-2 spielen.
- Offensive Raute: Eine Variante des 4-4-2. Das war jahrelang das Spiel von Werder Bremen, und auch wenn die HSV-Fans das sicher nicht gerne hören – zur Hochzeit von Thomas Schaaf war Werder Bremen die beste Raute im Norden. Nachteil: Man braucht einen wirklich herausragenden Spielmacher und ist defensiv anfällig. Wenn in der Raute mal der Wurm drin ist, hat die gegnerische Mannschaft meistens sehr viel Spaß am Spiel.

- 4-3-3: das klassische Spiel der Holländer. Zwei schnelle Außenstürmer, das Mittelfeld dient eigentlich nur zum Ball-nach-vorne-Spielen und für Nachschüsse. Eine Taktik, die weiß, wo das Tor steht.
- 4-4-1-1: das Spiel der Italiener. Zwei gestaffelte, defensiv orientierte Viererketten, ein Kreativer und ein Stürmer. Damit gewinnt man keine Schönheitspreise, aber Turniere. Natürlich wird so eine Taktik auch gerne von Außenseitern gewählt.

Varianten dazu sind:
- 1-4-4-0-1: Der Kreative spielt als Libero hinter der Abwehr, und
- 10-0-0: Alle Mann hinten, vorne hilft der liebe Gott.

Andere, weniger verbreitete taktische Aufstellungen:
- Die Sonne: Alles dreht sich um den Superstar der Mannschaft, klassische Sonnen sind Diego Armando Maradona, Zlatan Ibrahimović oder Cristiano Ronaldo.
- 1-1-1-1-1-1-1-1-1-1: Jeder muss irgendwie selber wissen, was er wann wo warum macht.
- 10-0-11: die Brechstange. Je nach Spielstand verteidigt oder stürmt alles, zur Not auch der Torwart.
- 0-10-0: Ballbesitz, Ballbesitz, Ballbesitz.
- 1-1-0: weg die Pille und dann auf die Knochen, bis der Arzt kommt.
- 47-11: zwei Wochen lang vor dem Spiel nicht duschen, um den Gegner durch Geruch zu irritieren.
- 0-8-15: Wenn man gewinnt, ist die Taktik egal (auch bekannt als die Rehhagel-Philosophie).

- 11-88-0: Schiedsrichter, Telefon! Beziehungsweise: Hier könnte Ihre Werbung stehen.
- 4-8-15-16-23-42: Vorsicht mit diesen Zahlen, sonst ist man schnell «lost».
- 3-1-4-1-6: eine Taktik, die die natürlichen Kreisläufe beachtet.
- 0-0-0: Wer nichts macht, macht auch nichts verkehrt.
- Neben den Spielsystemen gibt es viele Fachbegriffe, wie seit kurzem den «Falschen Neuner». Hierzu muss man wissen, dass die Neun die klassische Rückennummer des Mittelstürmers ist. Wenn nun also die (einzige) Stürmerposition mit einem Spieler besetzt wird, der normalerweise und von seinen Fähigkeiten und seinem

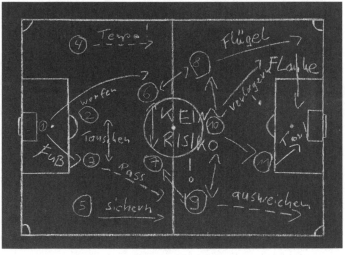

Hätte Joachim Löw meinen taktischen Masterplan vor dem EM-Halbfinale gegen Italien bekommen und befolgt, wäre vieles anders gelaufen.

Spielverständnis her gar kein Stürmer, sondern eher ein Mittelfeldspieler ist, dann ist er in der taktischen Aufstellung eine Mogelpackung, ein falscher Stürmer oder eben, weil es besser klingt: ein Falscher Neuner.

Weitere aktuell wichtige Begriffe:
- Viererkette: vier Abwehrspieler auf einer Linie.
- Doppelte Viererkette: vor der Viererkette auch noch vier defensive Mittelfeldspieler auf einer Linie.
- Dreifache Viererkette: Eine Mannschaft spielt so defensiv, dass man das Gefühl hat, es sind zwölf Abwehrspieler auf dem Platz (Mannschaften, denen die dreifache Viererkette gefiel, interessierten sich auch für Catenaccio, Abwehrriegel oder Schotten dicht).
- Dreierkette: drei Abwehrspieler auf einer Linie. Damit wird womöglich experimentiert werden, weil man dann einen Mittelfeldspieler mehr gewinnt, und das finden viele Trainer gut wegen: Ballbesitz, Ballbesitz, Ballbesitz!
- Einerkette: Eigentlich Libero, aber dessen Nutzen kann letztlich nur Otto Rehhagel erklären.
- Abseitsfalle: Eine Abseitsfalle ist wie das Wetter, es gibt Prognosen, Erfahrungen, Wahrscheinlichkeiten – aber niemals Sicherheit.
- Abseits – hierzu ein kleiner Tipp zur Sozialkompetenz: Egal wie gut und genau man selbst die Abseitsregel kennt, beim gemeinsamen Fußballgucken ist es immer sinnvoll, zu Beginn zu fragen, ob einem endlich mal wer dieses Abseits erklären kann. Man darf sicher sein: Da ist immer jemand, der das gerne macht. Es ist dann ganz

egal, wie abstrus, unzusammenhängend und kompliziert diese Erklärung ausfällt. Am Ende muss man nur sagen: «Ah, das war toll. Ich habe das Abseits ja schon oft erklärt bekommen, aber noch nie so gut und logisch. Jetzt habe ich es endlich mal verstanden.» Nach diesem Satz wird einen der Erklärer auf ewig lieben, gegen alles in Schutz nehmen und einem bereitwillig jederzeit Bier oder Chips holen. Probieren Sie es einmal aus.

- Gestreifter Vierer: Der Vierer ist der Innenverteidiger. Auf Gestreifter Vierer spielt man, wenn die Angreifer ständig ganz knapp am Vierer vorbeilaufen, auf dass sie ihn leicht streifen und dann sofort umfallen, um Elfmeter oder Freistöße zu bekommen. Eng damit verwandt ist der

- Flache Achter: ein Spieler, der bei der kleinsten Berührung umkippt, also flach liegt (Schwalbenkönig).

- Fauler Neuner: ein Stürmer, der von allen Defensivaufgaben freigestellt ist.

- Falscher Fünfer: ein Mannschaftskapitän, der ständig die Seitenwahl verliert.

- Komischer Vogel: der Linksaußen.

- Vertikales Spiel: über kurz oder lang nach vorne spielen.

- Doppeln (klassisch): Wenn ein besonders dribbelstarker Spieler am Ball ist, kümmern sich zwei Verteidiger um ihn.

- Doppeln (argentinisch): Wenn der erste Verteidiger ausgespielt ist, haut der zweite ihn um.

- Verschieben: Der Schwerpunkt im Spiel einer Mannschaft wird verschoben. Sollte also eine Mannschaft das Spiel nach links verschieben, muss man einfach nur auch den Sessel nach links rücken, dann hat man wieder das gewohnte Bild und zudem auch gesunde Bewegung.

- Verschieben 2: Der Anpfiff wird verschoben, weil zum Beispiel ein Pfosten gebrochen ist. Passiert nur selten.
- Verschieben 3: Der Ausgang eines Spiels wird verschoben, siehe auch Wettmafia oder Hoyzer.
- Dreckiger Sieg: Man hat sich nicht mit Ruhm bekleckert, sondern mit irgendwas anderem. Macht aber nichts, spricht in vier Jahren keiner mehr drüber.

Und ganz wichtig, falls Sie die WM im englischsprachigen Raum verfolgen sollten:

- Public Viewing – so heißt auf Englisch die öffentliche Aufbahrung eines Verstorbenen. Fragen Sie, falls Sie sich versehentlich mit Tröten und Fähnchen dorthin verirren, höchstens sehr leise, wo denn die Leinwand steht.

Weil während einer WM ja noch immer weitere neue Begriffe oder Taktiken hinzukommen, habe ich hier unten noch etwas Raum für eigene Notizen gelassen.

Ein Fußballspiel ohne begleitende Expertenanalyse können wir uns heute fast schon nicht mehr vorstellen. Manche wollen das auch gar nicht. Schon zweimal hatte ich das zweifelhafte Vergnügen, im Fußballstadion neben jemandem zu sitzen, der das Spiel, das er gerade sah, gleichzeitig noch im Fernsehen verfolgte, über das auf seinem Schoß liegende Tablet. Also genau genommen schaute er, während er das Fußballspiel schaute, sich im Fernsehen dabei zu, wie er das Fußballspiel schaute, um dort, wenn er im Bild war, zu sehen, wie er sich beim Zuschauen zuschaute. Auf meine Nachfrage hin erklärte er mir, er mache das, weil er sonst ja nicht die Interviews und die Kommentare der Experten mitbekomme. Ich erklärte ihm, dass er so aber dann gar nicht recht die Kommentare der Experten im Stadion mitkriegen würde. Gerade eben nämlich habe ein nachdenklicher Analyst drei Reihen hinter uns sehr laut die Vermutung geäußert: Der blinde Torwart (den Namen möchte ich hier nicht nennen) würde ja nicht mal Reiner Calmund fangen, wenn der aus drei Metern Höhe direkt auf ihn krache.

Ich kenne eine Frau, die bei Fußballübertragungen im Fernsehen immer den Raum verlassen hat, wenn die Spiele begannen, weil sie das nun wirklich nicht interessierte, aber zügig zurückkam, sobald die Spielanalyse von Jürgen Klopp begann, denn das fand sie irgendwie schon ganz interessant.

Angefangen hat die Entwicklung vom einfachen Kommentieren hin zur Expertenanalyse meines Erachtens mit Karl-Heinz Rummenigge und Heribert Faßbender bei der Fußball-WM 1990 in Italien und dann vor allem 1994 bei der WM in den USA. Sie etablierten das aus Amerika bekannte Prinzip der Doppelmoderation in Deutschland, die idealerweise von einem erfahrenen Sportmoderator und einem ehemaligen Weltklassespieler bestritten wird. Faßbender und Rummenigge sind wohl der Grund dafür, weshalb es heute so Dinge wie ein Phrasenschwein gibt. Es waren damals noch die guten alten Zeiten, in denen man mit rund dreißig immer richtigen Sätzen eine ganze Fußballweltmeisterschaft durchmoderieren konnte. Rummenigge und Faßbender waren mit ihren Kommentaren effektiv wie eine gut geölte Maschine, zwei «positiv Fußballverrückte», deren Leidenschaft für die in vielen Schlachten bewährte Floskel selbst vor der Tür des gemeinsamen Hotelzimmers nicht haltmachte:

Heribert: Kalle, wie gefällt dir denn heute die Lampe in unserem Zimmer?

Kalle: Ja gut, natürlich. Die Lampe macht das hier natürlich im Endeffekt sehr gut, sehr geschickt. Steht sehr gut im Raum und macht so im Endeffekt sehr gut die Räume eng.

Heribert: Da ist ja gar kein Durchkommen, was, Kalle?

Kalle: Ja gut, natürlich. Die Lampe lässt hier im Endeffekt nur sehr wenig zu.

Heribert: Das schmeckt der gegnerischen Einrichtung gar nicht, was, Kalle?

Kalle: Ja klar, natürlich, man sieht, die Lampe hatte einen Plan, und den zieht sie im Endeffekt hier auch knallhart durch. Die Frage im Endeffekt ist nur, ob sie das so auch über die komplette Dauer einer Nacht durchhalten kann.

Heribert: Zumindest ist der Spielfluss im Zimmer hier mal völlig zum Erliegen gekommen, was, Kalle?

Kalle: Ja gut, natürlich, so wie die Lampe hier ganz konsequent jede auch nur kleinste Dunkelheit schon im Keim erstickt, ist ja an einen vernünftigen Schlafaufbau im Endeffekt gar nicht zu denken.

Heribert: Ein frühes Wegnicken würde dem Schlaf vielleicht guttun, was, Kalle?

Kalle: Ja klar, natürlich, dann müsste die Lampe im Endeffekt ihr Spiel natürlich überdenken.

Heribert: Dadurch könnten sich Räume im Zimmer ergeben, was, Kalle?

Kalle: Ja klar, natürlich, neue Räume würden das Zimmer im Endeffekt mehr in die Breite ziehen, vielleicht auch mal auf den Flügel des Gebäudes verlagern oder mit Bogenlampen in die Zonen … also im Endeffekt.

Heribert: Der Satz ist im Aus, was, Kalle?

Kalle: Ja gut, klar, es war aber, glaube ich, im Endeffekt sowieso Abseits.

Heribert: Vielleicht gibt die Zeitlupe Aufschluss, was, Kalle?

Kalle: Ja gut, Abseits ist natürlich, wenn sich im Moment der Satzabgabe noch zwei Objekte oder mindestens ein Adjektiv vor dem Verb befinden, und das Verb greift jetzt gar nicht satzentscheidend in den Sinnverlauf des Geredes ein.

Heribert: Darauf würde ich mich als Satz aber ohnehin nicht verlassen, was, Kalle?

Kalle: Ja klar, natürlich, das ist im Endeffekt Interpretationssache, es kann natürlich immer wieder eine neue Satzsituation entstehen, wo das Verb dann doch noch eingreift. Das kann der satzführende Moderator bei Beginn des Satzes ja noch gar nicht wissen, welche Verben im Endeffekt noch alle eingreifen werden.

Heribert: Dann würdest du sagen, Abseits ist, wenn der Schiedsrichter pfeift, Kalle?

Kalle: Ja gut, klar, im Endeffekt hängt da natürlich auch viel von der Tagesform ab.

Mit Faßbender und Rummenigge war ein Anfang gemacht. Plötzlich zählten wir Zuschauer nicht mehr nur stumpf die Tore. Nein, wir bekamen einen neuen Blick auf das Spiel, erkannten die Vielschichtigkeit, die Feinheiten. Erhielten auch emotionale Einblicke ins Seelenleben der Spieler:

Faßbender: Kalle, verliert man als Spieler nicht auch irgendwann ein bisschen die Lust in so einem ununterbrochenen Regen?

Kalle: Ja gut, klar. Im Endeffekt regnet es für die gegnerische Mannschaft ja aber eigentlich auch ...

Dennoch dauerte es noch mal ein paar Jahre, bis zwei Experten kamen, die das Drama, die große Leidenschaft, die fesselnde Dramaturgie eines Fußballspiels nicht nur analysierten, sondern das narrative Element, das erhabene Schauspiel höchstselbst in ihre Dialoge transportierten. Mit ihren kurzen, kecken, spontanen Inszenierungen in der Tradition des Schauspielertheaters loteten Günter Net-

zer und Gerhard Delling die ganze Weite des Moderatoren-
kinos aus. Wo Ingmar Bergman mit seinen Filmen aufgehört hatte, machten sie mit ihren Spielanalysen weiter.

Delling: Und, Günter Netzer? Wie hat Ihnen denn das
Spiel gefallen?

Netzer (schaut Delling entsetzt an, atmet erschöpft aus,
dann): Herr Delling!

Delling: Ja, Günter Netzer?

Netzer (eine robertdeniroeske Leidensmiene ziehend):
Herr Delling, was fragen Sie mich denn da wieder?

Delling: Na ja, ich dachte, ich frage Sie mal, wie Ihnen
das hier gerade gefallen hat.

Netzer (die Miene nicht mehr leidend, dafür etwas zor-
nig): Das wissen Sie doch, Herr Delling! Wenn Sie in all
den Jahren, die wir das hier schon zusammen machen, etwas gelernt haben, dann sollten Sie das wenigstens wissen.

Delling: Ja schon, Günter Netzer, aber ich dachte, ich
wollte es noch mal von Ihnen persönlich hören.

Netzer (leicht erregt und mit dem Ausdruck höchster
persönlicher Enttäuschung): Das Spiel hat mir nicht gefallen, Herr Delling. Das müssen Sie doch gesehen haben,
nach all den Jahrzehnten, die wir das jetzt schon machen.

Delling: Ja schon.

Netzer: Die Mannschaften haben überhaupt nicht das
gespielt, was sie könnten. Was ich mir von ihnen erwartet
habe. Das war zu wenig, Herr Delling. Viel zu wenig.

Delling: Aber, Günter Netzer, kann das denn nicht auch
an den riesigen Erwartungen gelegen haben? Dass das die
Spieler gehemmt hat?

Netzer: –

Delling: Oder? Günter Netzer?

Netzer (jetzt richtig sauer und beleidigt): Nein, das denke ich nicht. Herr Delling! Bei uns, zu unserer Zeit, waren die Erwartungen auch immer groß! Was meinen Sie denn, wie groß die Erwartungen an uns waren? Das hat uns natürlich beschäftigt. Aber irgendwann haben wir dann auch mal das getan, was man von uns erwartet hat. Das ist der Unterschied. Seit Jahrhunderten stehen wir jetzt hier, und ich versuche, Ihnen das zu erklären.

Delling: Dafür bin ich Ihnen ja auch sehr dankbar, Günter Netzer.

Netzer (plötzlich mit listigem Lächeln): Herr Delling, wie hat Ihnen denn das Spiel gefallen?

Delling (leicht verlegen): Ja gut, so den super Leckerbissen fand ich das Spiel jetzt auch nicht gerade.

Netzer (sich im Rahmen seiner Möglichkeiten zufrieden entspannend): Na, sehen Sie, Herr Delling. Jetzt lassen Sie sich doch nicht immer jedes einzelne Wort aus der Nase ziehen.

Delling: Natürlich, Günter Netzer, aber apropos ziehen: Wir geben dann mal rüber zur Ziehung der Lottozahlen.

Mit dieser akzentuierten Darstellung der emotionalen Verlorenheit trafen die beiden mehrfach prämierten Minimalisten offensichtlich einen Nerv der Zeit. Einerseits lösten sie so einen wahren Expertenboom aus, andererseits wandten sich aber auch einige wieder von dieser äußerst strengen Form ab und versuchten sich in einer postnetzerischen Verspieltheit. Unter anderem sogar Herr Delling selbst.

Bei einem kurzen Blick auf die heutigen Experten fällt auf: Zumeist werden die ehemaligen Spieler zu Experten, die in ihrer aktiven Zeit eher nicht viel gelaufen sind, dafür aber immer am Quatschen waren – Günter Netzer, Paul Breitner, Mehmet Scholl, Mario Basler, um nur die vier bekanntesten Feldspieler zu nennen, von den ganzen ehemaligen Torhütern, die ja nun schon von Natur aus wenig laufen und viel quatschen, ganz zu schweigen. Ob sich bei dieser Fußballweltmeisterschaft wieder eine künstlerische Hauptrichtung in der Expertenzunft herausbilden wird, bleibt abzuwarten. Grundsätzlich sollte man aber bei allen Experten und Kommentatoren nie vergessen: Eine Fußballweltmeisterschaft ist kein germanistisches Proseminar!

Mit wirklich all meinen Freunden allerdings hoffe ich, dass diese «Und-was-sagen-denn-die-User-in-den-sozialen-Netzwerken?»-Mode bei der Berichterstattung so schnell wieder verschwindet, wie sie gekommen ist. Wenn das Günter Netzer sieht, dreht sich dem ja sonst der Scheitel um.

PS: Alle Moderationsbeispiele haben so nie stattgefunden. Bei Faßbender/Rummenigge ist nicht nur das Gespräch ausgedacht, sondern auch die Annahme, sie hätten ein gemeinsames Hotelzimmer bewohnt. Nachdem ein Freund nach der Lektüre dieses Textes lobend erwähnte, dass ich einen ganzen Netzer-Text ohne einen einzigen Witz über seine Haare verfasst hätte, habe ich aus purem Trotz und Übermut den letzten Satz einfach noch angefügt.

FAST VERGESSEN: DEUTSCHLAND

ALLGEMEINES

Der Deutsche steht jeden Morgen sehr, sehr früh auf. Im Regelfall noch sehr viel früher als alle andern. Wie früh genau der Deutsche aufsteht, darf ich hier allerdings nicht verraten. Wegen der Abwehr von Wirtschaftsspionage. Wenn andere Nationen, beispielsweise China oder Taiwan, herauskriegen, wie früh genau der Deutsche aufsteht, würden die das ja einfach nachmachen, und schwuppdiwupp wäre ihre Wirtschaft genauso erfolgreich wie die deutsche. Und wer es dennoch unbedingt genau wissen will, dem sei nur gesagt: Um herauszufinden, wie früh der Deutsche wirklich aufsteht, musste aber früher aufstehen!

Der durchschnittliche Deutsche arbeitet immer ganz, ganz hart. Meistens in einem Zulieferbetrieb der Automobilindustrie. In seiner Freizeit trägt er gern Lederhosen und isst am liebsten Eisbein mit Sauerkraut. Dazu trinkt er Bier oder Brottrunk.

Die Kinder in Deutschland sind streng erzogen und bieten Erwachsenen in der U-Bahn ihren Sitzplatz an. Sollte es in ihrem Heimatort keine U-Bahn geben, bieten sie ihnen Bier an. In Deutschland ist es überall sehr sauber und gepflegt. Sollte es irgendwo mal nicht so sauber sein, betrachtet der Deutsche das als Beleg dafür, dass er doch schon viel lockerer geworden ist. Nicht mehr so preußisch steif. Es gibt wohl keine andere Nation, die so verbissen an ihrer Lockerheit arbeitet wie die Deutschen. Mit Erfolg. In erstaunlich vielen Lokalen beispielsweise bekommt man draußen Kaffee mittlerweile auch in Tassen.

KÜCHE

Die deutsche Küche ist regional sehr unterschiedlich. Grundsätzlich gibt es aber über das Land verteilt drei Hauptrichtungen: «Gut – nicht gut – macht nicht satt». Eine Bekannte, die mal in einem kleinen niedersächsischen Ort ein Landgasthaus übernommen hatte, erzählt bis heute mit Begeisterung die Geschichte, wie der sehr einfluss-reiche, wohlhabende Bürgermeister und größte Landwirt des Ortes ihr während der Eröffnungsfeier vertrauensvoll zuflüsterte: «Bei uns hier musste gar nicht so gut kochen können. Wir sind gute Esser.» Es gibt Regionen, da gilt das konsequente Tellerleeressen, auch wenn es nicht schmeckt, als große Leistung. Man hört von Lokalen, beispielsweise in Rheine, wo einzelne Männer an einem Abend mehr Nudeln vertilgen als ein komplettes italienisches Dorf in einer Woche. Andererseits wächst aber auch die Zahl der Sterneköche Jahr für Jahr. Dazu sagte ein gleichfalls extrem norddeutscher Freund kürzlich zu mir: «Ich persönlich habe ja noch nie einen Stern gegessen und glaube auch gar nicht, dass mir das schmecken würde.» Außerdem sind in

Deutschland schon seit Jahren Kochsendungen sehr erfolgreich. In Süd- und Mittelamerika schauen die Leute fast rund um die Uhr Telenovelas, in denen es um erfüllte oder unerfüllte Liebe geht. In Deutschland schauen die Leute fast rund um die Uhr Kochshows, in denen es um gefüllte oder ungefüllte Rollbraten geht. Daran erkennt man leider, dass Deutschland eine Gesellschaft mit relativ hohem Altersdurchschnitt ist.

Wenn der Deutsche eine Frau ist, ist sie übrigens nach wie vor mehr in der Küche als der Mann. Wenn er keine eigene Fernsehsendung hat oder keine Gäste zum Essen kommen, kocht der deutsche Mann doch eher selten.

MENTALITÄT

Wenn der Deutsche sich freut, klemmt er sich kleine Deutschlandfähnchen ans Auto und fährt hupend den Kurfürstendamm oder die Maximilianstraße rauf und runter. Das hat er vom Türken gelernt. Wenn sich der Deutsche dann nicht mehr freut, fährt er in Urlaub, zum Beispiel nach Holland, und wirft denen die Deutschlandfähnchen auf die Autobahn.

Den Holländern macht das nichts aus, denn sie mögen die Deutschen sehr, sehr gern. So wie eigentlich alle Nachbarländer die Deutschen sehr, sehr gern mögen. Weil die Deutschen so außergewöhnlich schlau sind. Die Nachbarländer sind sehr glücklich, wenn die Deutschen zum Urlaub in ihr Land kommen, um ihnen wichtige Dinge mal richtig zu erklären. Also den Italienern erklären, wie man einen richtigen Cappuccino macht, den Polen zeigen, wie man richtig feiert, den Franzosen erklären, was richtige Gastfreundschaft ist, den Österreichern mal richtiges Deutsch beibringen oder eben den Holländern mal erklären, wie man richtig Fußball spielt.

Das wichtigste Lebensziel vieler Deutscher ist es, einmal in ihrem Leben in Berlin zu wohnen und hier in einer Einzimmerwohnung im vierten Stock, Hinterhaus eines Altbaus, vier riesige Schäferhunde großzuziehen, die dann später ihre besten Freunde werden. Ganz sicher werden sie das, denn wer im Hinterhaus vier riesige Hunde großzieht, hat keine anderen Freunde mehr. Zumindest nicht in diesem Haus. Der Deutsche ist sehr tierfreundlich. Wer also ständig Streit mit einem Deutschen hat, irgendwie gar nicht mit ihm klarkommt, sollte vielleicht einfach mal als Tier probieren, das Herz des Deutschen zu gewinnen. Also beispielsweise als Hund.

WIRTSCHAFT

Das obere Drittel der deutschen Gesellschaft gehört zu den reichsten Völkern der Welt. Wegen der Wirtschaft.

Die wichtigsten Wirtschaftszweige in Deutschland sind die Automobilindustrie und das Erben.

Der Deutsche hat nun wirklich extrem viel Kultur. Wenn man damit anfängt, findet man ja kein Ende mehr. Es gibt dermaßen viele bedeutende Autoren aus Deutschland, dass man besser erst gar keinen nennt, weil würde man versuchen, alle aufzuzählen, würde man nur wen vergessen, und dann gäbe es garantiert Ärger. Ähnlich ist es mit den Denkern und den Erfindern. Das Beste und wohl auch Richtigste ist, wenn man einfach sagt: Die Deutschen haben praktisch alles erfunden, alles gedacht und auch alles geschrieben, was so irgendwie von Belang ist. Ja, ich denke, das fasst es eigentlich ganz gut zusammen. Und wo ich das, was ich da schreibe, grad so noch mal lese, kann man vielleicht sogar sagen: Die Deutschen haben wahrscheinlich sogar auch alles geschrieben, was nicht von Belang ist. Und täglich leisten viele brave Autoren in Zeitungen, Verlagen und Online-Foren ihren wertvollen Beitrag, dass das auch so bleibt.

Der Deutsche ist durchaus selbstironisch, zumindest solange er dafür nicht von anderen ausgelacht wird. Außerdem ist er immer sehr kritisch. Sowohl gegen sich als auch gegen andere.

Wenn der Deutsche sich mit der Logik anlegt, ist er meistens Sieger. Nur ich nicht. Man sagt, es gibt nur ein Volk auf dieser Welt, vor dem die Logik wirklich existenzielle Angst hat: nämlich den Deutschen.

Auch die deutsche Grammatik ist sehr streng und hart. Die einzige Bevölkerungsgruppe, vor der die deutsche Grammatik Angst hat, sind die Berliner.

Geschichte hat der Deutsche natürlich sehr viel. Viel gute, strahlende Geschichte, über die ja immer viel zu wenig berichtet wird, weil da eben auch eine so dunkle Zeit in der deutschen Geschichte war, die quasi wie ein schwarzes Loch alles mögliche Licht verschluckt. Eine Zeit, die kein Deutscher je vergessen darf, obwohl doch damals, wie es oft heißt, niemand etwas davon gewusst hat. Nach wie vor ist der im Ausland mit Abstand berühmteste Deutsche Adolf Hitler. Auch wenn jetzt manch Klugscheißer einwenden mag, der war doch Österreicher, muss man leider sagen, dass er eingebürgert wurde. Alle Verbrechen, die er begangen hat, hat er als Deutscher begangen. So gern ich auch den Österreichern von Zeit zu Zeit mal was aufs Butterbrot schmiere: Mit Adolf Hitler haben sie genau genommen nichts zu tun. Oder um es mit den Worten eines hochgeschätzten österreichischen Kollegen zu sagen: «Die Österreicher brauchten nun wirklich keinen Adolf Hitler, um gute Nazis zu sein.»

Vielleicht sind es die Erfahrungen, die Deutschland mit Hitler gemacht hat, die viele Deutsche bis heute so ablehnend auf Zuwanderung reagieren lassen. Möglicherweise gibt es da tatsächlich einen Zusammenhang zwischen den Erfahrungen aus der Nazizeit und der Fremdenfeindlichkeit, die natürlich im deutschen Alltag an sich längst kein Thema mehr ist, da die Bevölkerung im Großen und Ganzen ja schon vor Jahren weltoffen und ziemlich locker und crazy und humorvoll und so geworden ist.

Also grundsätzlich muss man sagen: Von Fußballweltmeisterschaften abgesehen, sind die Deutschen und das Ausland heute die besten Freunde. Aber hallo! Und wer was anderes behauptet, kann ja gern woandershin wohnen gehen. Viel Glück bei der Suche nach einem Land, in dem es mehr Freiheit und Toleranz, ein besseres Gesundheitssystem, besseren öffentlichen Nahverkehr und eine internationalere Küche gibt als hier!

Außerdem reisen die Deutschen viel. Ältere Deutsche fahren gern ins Ausland, weil sie da schon mal als Soldat waren. Jüngere Deutsche fahren gern in andere Länder, weil ihr Geld für einen Urlaub in Deutschland nicht ausreicht.

Religion und Toleranz hatten in Deutschland immer eine große Bedeutung. Kürzlich wurde extra ein Bundespräsident engagiert, nur damit der einmal sagt: «Auch der Islam gehört zu Deutschland.» Was natürlich ein wichtiger Satz ist. Aber ein ganzer Bundespräsident nur für einen einzigen Satz? Das hat sich Deutschland schon eine Stange Geld kosten lassen. Ansonsten hat das Land eher christliche Wurzeln. Bis grad eben war der Deutsche sogar Papst. Doch selbst da musste der Deutsche wieder beweisen, wie locker er geworden ist, indem er einfach mal sagte: «Kein Bock mehr, ich will noch was von meiner Rente haben.» Für einen Papst, für den Rente ja normalerweise nicht vorgesehen ist, ein wirklich ungewöhnlicher Schritt.

FUSSBALL

Nach vielen Jahren, in denen die deutsche Fußballnationalmannschaft wahrlich nicht immer schön, aber erfolgreich spielte, haben wir jetzt ein Team, das plötzlich oft richtig begeisternd spielt, aber irgendwie keine Titel gewinnt. Viele bedauern das. Ich nicht. Seit meiner Jugend fahre ich viel durch Europa und muss sagen: Dadurch, dass die deutsche Nationalmannschaft aufgehört hat, Titel zu gewinnen, und zum sympathischen Verlierer geworden ist, hat meine Lebensqualität sehr gewonnen. Die deutsche Mannschaft, ihr Auftreten und ihre Art und Weise, mit der Niederlage umzugehen, kommt sehr gut an in anderen Ländern. Mir erscheint das, ehrlich gesagt, viel wertvoller als irgendwelche Titel. Wie so oft im Leben stellt sich auch hier die Frage: Warum siegen, wenn das Verlieren so viele Vorteile bringt?

Als im letzten Sommer in Portugal über die Dominanz der deutschen Wirtschaft in Europa geklagt wurde, über den erbarmungslosen deutschen Perfektionismus, das eiskalte Durchziehen von Plänen, konnte ich die Herzen der Portugiesen mit einer kurzen Erzählung über den Bau des Berliner Flughafens doch wieder für Deutschland erwärmen. Eine Freundin aus Frankreich sagt mir immer, wie sehr ihre Pariser Freunde es lieben, dass das einzige deutsche Wort, das ihre dreijährige Tochter beim Besuch in Berlin gelernt hat, «Schienenersatzverkehr» war.

Meinen persönlichen Erfahrungen nach waren die Deutschen im Ausland noch nie so beliebt wie in den letzten zwei oder drei Jahren. Wenn die deutsche Mannschaft wieder so mitreißend spielt wie in Südafrika und dann möglichst dramatisch und unglücklich im Halbfinale scheitert, wäre das für das alltägliche Leben in Deutschland wie auch im Ausland eigentlich gar nicht so schlecht.

Außerdem haben wir doch vor gar nicht so langer Zeit

erst einen großen internationalen Titel gewonnen: den Grand Prix Eurovision de la Chanson.

Da gelang es übrigens der Siegerin Lena Meyer-Landrut, direkt nach ihrem Sieg etwas wirklich sehr Schönes und Schlaues zu sagen. Als sie nämlich die Verfasstheit wohl meiner Generation mit dem wunderbaren Satz auf den Punkt brachte:

«Ich weiß nicht, wo ich hinsoll. Ich quatsch hier einfach noch ein bisschen weiter.»

Das trifft es echt ziemlich genau.

BILDNACHWEIS